D1372755

LORENZA DE' MEDICI

LES PÂTES

FRANCE LOISIRS
123, Boulevard de Grenelle, Paris.

Titre original de cet ouvrage :
PASTA

Traduction-adaptation :
Christine PIOT

© 1992, Weldon Owen Inc., pour l'édition originale
© 1993, Éditions Solar, Paris, pour la version française

Édition du Club France Loisirs, Paris,
avec l'autorisation des Éditions Solar

ISBN : 2-7242-5714-6
N° d'éditeur : 22626
Dépôt légal : décembre 1993

Photocomposition : PFC, Dole
Imprimé en Chine

Sommaire

Avant-propos 4   *Ustensiles 6*   *Différentes pâtes sèches 8*   *Pâtes fraîches aux œufs 10*

Pâtes farcies 12   *Cuisson et conservation des pâtes 13*

Pâtes Sèches 15

Pâtes Fraîches 61

Pâtes Farcies 85

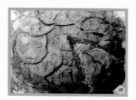

Timbales de Pâtes 97

Glossaire 104   Index 108

AVANT-PROPOS

« Je reprendrais bien des pâtes ! » Qui aurait pu imaginer, il y a quelques décennies à peine, que ces mots franchiraient si souvent les lèvres des gourmets, partout dans le monde ?

On ne parlait autrefois que de spaghettis et de sauce tomate, éventuellement de macaronis et de parmesan, mais très rarement de raviolis et de lasagnes. Aujourd'hui, cheveux d'ange, fusillis, cannellonis ou tagliatelles sont devenus des termes courants, et il y a mille façons d'accommoder les pâtes : simplement avec du beurre ou du fromage râpé, mais aussi avec des légumes sautés, des fruits de mer ou de délicieuses sauces à la crème.

Il est désormais reconnu – mais les Italiens le savaient depuis toujours – que les pâtes sont faciles à préparer, se prêtent à de multiples variantes et sont économiques. Si l'on a quelques ingrédients en réserve, elles permettent d'improviser un excellent repas en une demi-heure. Tout – ou presque – peut entrer dans la composition d'un plat de pâtes : restes de poulet ou de viande, légumes, fromage... Associées à des aliments sains et équilibrés, les pâtes constituent un plat de résistance idéal, riche en glucides à assimilation lente et pauvre en graisses.

Cet ouvrage célèbre les pâtes sous toutes leurs formes. Tout d'abord, il donne les bases essentielles pour leur préparation, depuis les ustensiles nécessaires aux différents modes de cuisson jusqu'aux divers types de pâtes sèches et à la méthode de confection des pâtes fraîches. Sont ensuite présentées quarante-cinq recettes simples, réparties en plats de pâtes sèches, de pâtes fraîches, de pâtes farcies et de timbales de pâtes au four.

Ces préparations ne sont que des suggestions, lesquelles peuvent vous servir à créer vos propres inventions culinaires. Même si certaines recettes le suggèrent, il n'est pas indispensable de faire ses pâtes soi-même. On trouve, en effet, d'excellentes pâtes fraîches dans le commerce, et des pâtes sèches de bonne qualité conviendront également.

Quoi qu'il en soit, vous êtes sûr de faire des heureux ; les pâtes rallient la majorité des suffrages : elles ravissent les grands et sont la passion des petits.

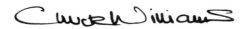

Les Ustensiles

Tous les ustensiles dont vous pourriez avoir besoin pour mélanger, couper, mouler, malaxer, assaisonner ou servir les pâtes fraîches et sèches sont présentés ici.

Il est vrai qu'il suffit d'un faitout, d'une passoire et d'un plat de service pour que les pâtes soient sur la table. Mais, si l'on aime raffiner les préparations, la panoplie des ustensiles nécessaires s'élargit rapidement.

Le grand faitout permet de faire cuire une quantité importante de pâtes dans suffisamment d'eau, car elles en nécessitent beaucoup. Certains modèles comportent une passoire incorporée.

Pour fabriquer des pâtes fraîches, vous aurez sans doute besoin de quelques ustensiles supplémentaires, encore que, si vous optez pour la méthode italienne traditionnelle *(voir pages 10-11)*, vous avez déjà certainement tout ce qu'il vous faut chez vous.

1. Moule à savarin
Les moules ronds en forme de couronne sont particulièrement adaptés aux préparations assez fluides, ou qui risquent de brûler rapidement.

2. Plat à gratin
Les pâtes en sauce ou en couches superposées seront servies directement dans le plat. Choisissez de préférence un plat en grès émaillé, en faïence épaisse ou encore en verre.

3. Machine électrique
Pour mélanger les différents ingrédients et malaxer la pâte fraîche ; celle-ci est ensuite roulée et découpée selon des formes diverses.

4. Roulettes à pâte
En acier inoxydable, lisses ou à cannelures, ces roulettes permettent de découper des lanières de pâte fraîche ou des rectangles destinés à être farcis. Optez pour un modèle à manche robuste et à lame coupante tournant bien.

5. Fourchettes à servir
Ces larges fourchettes en bois retiendront les longs serpentins glissants des pâtes.

6. Presse-ail
Pour écraser les gousses d'ail, vous choisirez un modèle – généralement en aluminium moulé – facile à prendre en main, avec une articulation solide et doté d'une brossette pour le nettoyer.

7. Plat à lasagnes rectangulaire
Ce plat émaillé, en acier inoxydable, grès ou faïence, convient tout à fait à la cuisson au four des pâtes en couches superposées.

8. Machine à main
Ce modèle classique en acier inoxydable étale et découpe la pâte fraîchement confectionnée.

9. Passoire

Elle doit s'adapter sur n'importe quel faitout de 20 cm de diamètre et plus. Les mailles en aluminium laissent passer l'eau bouillante dans laquelle les pâtes sont immergées. Lorsque ces dernières sont cuites, elles peuvent être retirées très vite grâce à l'anse de la passoire.

10. Pilon et mortier

Pour émietter les fines herbes, écraser l'ail et bien malaxer les ingrédients des sauces. Un mortier en marbre est parfaitement stable et l'intérieur, non poli, offre une bonne surface pour piler. Il existe aussi des modèles en céramique, en cuivre et en verre.

11. Faitout

Ce grand faitout en acier inoxydable, avec une passoire incorporée, possède un couvercle muni d'une petite ouverture, qui permet à l'eau de bouillir rapidement sans risquer de déborder.

12. Raclette

Pour détacher la pâte fraîche et nettoyer le plan de travail. Choisissez de préférence une raclette robuste, en acier inoxydable, avec un manche en bois ou en métal.

13. Assiettes creuses

Les assiettes italiennes, très profondes, en faïence épaisse, sont les plus appropriées pour mélanger et déguster les pâtes en sauce.

14. Écumoire

Pour sortir de l'eau et égoutter les pâtes farcies.

15. Râpe à fromage

Les moulins à fromage ou les râpes incurvées sont les plus commodes pour émietter les fromages durs comme le parmesan.

16. Couteau de cuisine

Outre ses divers usages habituels, il vous servira à découper la pâte fraîche en rubans ou à séparer les raviolis.

DIFFÉRENTES PÂTES SÈCHES

Il existe une large gamme de formes, couleurs et saveurs, aux utilisations variées, propres à satisfaire tous les goûts.

Les pâtes industrielles, sèches, réalisées à la machine à partir d'un mélange de farine et d'eau, datent de plus de cent ans. A l'instar des ménagères italiennes, qui inventaient leurs propres recettes de pâtes faites à la main, les fabricants de l'époque créèrent de nombreuses variétés.

Selon certains, il existerait plus de quatre cents formes distinctes de pâtes, mais l'évaluation est difficile, car, en Italie, des pâtes identiques peuvent porter des noms différents selon les régions, tandis que le même nom peut renvoyer à des formes très variées. En outre, certains modèles existent aujourd'hui en plusieurs saveurs et utilisent diverses farines.

Les variétés italiennes qui vous sont présentées ici sont les plus courantes. Toutefois, il convient de préciser qu'elles sont interchangeables : si vous ne trouvez pas le type de pâtes indiqué dans une recette, remplacez-le par un autre, de forme et de taille similaires.

1. Linguines
« Petites langues ». Longues tiges minces et plates.

2. Taglierinis
Petits rubans étroits.

3. Fedelinis complets
Sortes de tiges minces semblables aux spaghettis.

4. Linguines multicolores
Écheveaux de linguines aux œufs, aromatisés aux épinards et à la betterave.

5. Zitis
Tubes courts ou longs.

6. Fusillis
Petites torsades. Également connues sous les noms de tortiglionis, spiralis ou eliches.

7. Armoniches aux épinards
Petits harmonicas verts.

8. Conchigliettes
Petits coquillages.

9. Coquillettes
Petits tubes courts recourbés.

10. Spaghettis
Les longues tiges classiques.

11. Gemellis
« Jumeaux ». Tiges torsadées.

12. Fusillis
Longues torsades. Également connues sous les noms de spiralis ou tortiglionis.

13. Conchiglies
« Coquillages » se présentant en différentes tailles.

14. Semis di melone
« Graines de melon ». Servies généralement dans le potage.

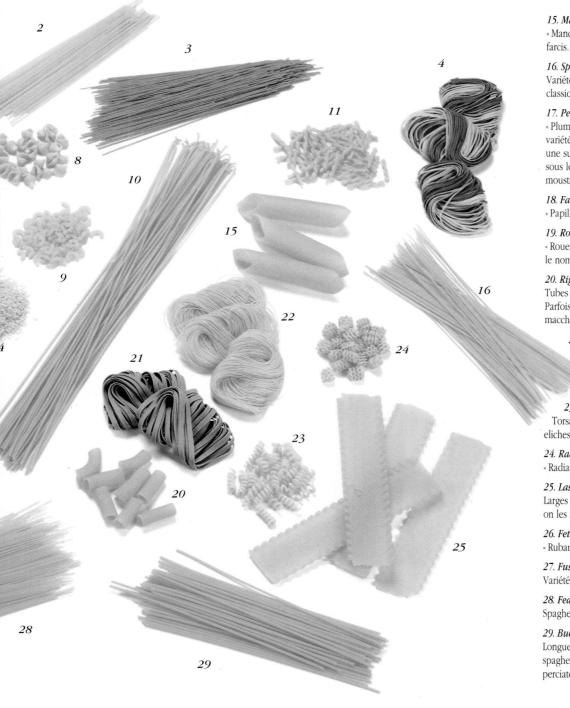

15. Manicottis
« Manchons ». Gros tubes destinés à être farcis.

16. Spaghettis
Variété un peu moins longue des tiges classiques.

17. Pennes
« Plumes ». Tubes taillés en biseau. La variété aromatisée aux épinards présente une surface striée. Également connues sous le nom de mostacciolis (« petites moustaches »).

18. Farfalles
« Papillons ». Ou nœuds papillons.

19. Rotelles
« Roues ». Également connues sous le nom de ruotes.

20. Rigatonis
Tubes cannelés de taille moyenne. Parfois appelés manicotti rigati ou maccheroni napolitani.

21. Fettuccines verde
« Rubans » aux épinards.

22. Capellis d'angelo
« Cheveux d'ange ».

23. Fusillis
Torsades courtes, appelées aussi eliches ou spiralis.

24. Radiatoris
« Radiateurs ».

25. Lasagnes
Larges bandes plates. Traditionnellement, on les superpose et on les cuit au four.

26. Fettuccines
« Rubans ». Longues tiges plates.

27. Fusillis
Variété longue de torsades aux œufs .

28. Fedelinis
Spaghettis minces.

29. Bucatinis
Longues tiges semblables à des spaghettis, mais creuses. Appelées aussi perciatellis.

9

Pâtes Fraîches aux Œufs

Les ménagères françaises ont récemment découvert ce que les Italiennes savent depuis longtemps : il est très facile de faire des pâtes avec de la farine et des œufs. Que vous procédiez à la main ou à la machine, vous pouvez préparer des pâtes fraîches en quelques minutes. Toutefois, et contrairement à ce qu'affirment les partisans inconditionnels des pâtes fraîches, les Italiens ne les considèrent pas comme meilleures que les pâtes sèches, mais simplement différentes.

Les proportions indiquées ci-dessous ne sont qu'approximatives ; elles peuvent varier en fonction de la grosseur des œufs, de la capacité d'absorption de la farine, de l'humidité ou de la sécheresse de l'air. La vue et le toucher restent finalement les meilleurs guides, et les précisions données à cet égard vous seront donc précieuses.

Pour 6 personnes (500 g de pâte fraîche environ)
300 g de farine, plus 60 g pour fariner le plan de travail
3 gros œufs

Préparation a la main Disposez la farine en fontaine sur le plan de travail. Au milieu, cassez les œufs. Fouettez-les légèrement à la fourchette, puis incorporez-les progressivement à la farine, en un mouvement circulaire, jusqu'à ce qu'ils soient bien amalgamés. Malaxez cette pâte en l'écrasant avec la paume de la main comme une pâte à pain, en tournant continuellement, pendant au moins 5 minutes ; elle doit devenir homogène, lisse et souple.

Préparation au mixeur Mettez la farine et les œufs dans le bol du mixeur après avoir fixé la lame métallique rotative. Actionnez l'appareil par pressions successives pour mélanger ces ingrédients, puis donnez quelques pressions plus prolongées pendant environ 1 minute, jusqu'à ce que la pâte forme une boule. Posez-la sur le plan de travail et finissez de pétrir à la main comme indiqué précédemment.

Abaisser la pâte Farinez le plan de travail. Écrasez fermement la boule de pâte avec la paume de la main et abaissez-la au rouleau à pâtisserie, en le repoussant loin de vous et en faisant tourner régulièrement le disque de pâte à mesure qu'il s'amincit. Ce disque doit atteindre 1 mm d'épaisseur pour les tagliatelles, les lasagnes et les taglierinis, 0,5 mm pour les pâtes à farcir.

Saupoudrez un linge de farine et laissez la pâte reposer dessus une dizaine de minutes (moins si l'air est très sec). Elle ne doit devenir ni poisseuse ni sèche.

Découper la pâte Pour les pâtes farcies, suivez simplement les indications détaillées données dans chaque recette, afin de découper la pâte selon la forme requise. 360 g de pâte suffisent amplement pour confectionner un plat de raviolis pour six personnes.

Pour les pâtes simples, roulez le disque de pâte pour en faire un cylindre ; aplatissez-le légèrement à la main, puis, à l'aide d'un couteau effilé, découpez des bandes de 1 cm d'épaisseur pour les tagliatelles et les fettuccines, de 3 cm pour les pappardelles, de 2 mm pour les taglierinis et de 10 cm pour les lasagnes. Vous pouvez aussi ne découper que quelques bandes de pâte à la fois et les rouler comme de petits nids d'environ 5 cm de large, que vous déposez sur un linge fariné. Pour les lasagnes, recoupez les bandes en carrés de 10 cm de côté et placez-les sur un linge fariné.

La pâte peut également être roulée et découpée à l'aide d'une machine à manivelle.

Divisez d'abord la boule de pâte en six portions égales. Les rouleaux de l'appareil étant dans la position la plus écartée, introduisez alors un à un les morceaux de pâte ; couvrez d'un linge les portions en attente pour les empêcher de sécher. Pliez la feuille de pâte en trois et saupoudrez-la de farine, avant de la faire repasser entre les rouleaux en position plus serrée, jusqu'à obtention de l'épaisseur souhaitée. Placez ensuite dans la machine l'instrument à découper la pâte de la largeur voulue, puis faites passer celle-ci à travers le mécanisme coupant.

PÂTES FRAÎCHES A LA MAIN

1. Mélanger

Disposez la farine en fontaine sur le plan de travail. Cassez les œufs au milieu et battez-les légèrement à la fourchette, puis incorporez-les progressivement en tournant à partir du haut, jusqu'à ce que tous les ingrédients soient bien amalgamés.

2. Malaxer

Avec la paume de la main, et en vous aidant éventuellement d'une spatule, pétrissez bien la pâte en l'écrasant et en la repoussant loin de vous à plusieurs reprises, pendant 5 minutes au moins, jusqu'à ce qu'elle devienne lisse et souple. Si la pâte colle ou paraît un peu molle, saupoudrez-la de farine. Formez une boule et mettez-la dans un saladier fariné.

3. Abaisser

Sur un plan de travail fariné, aplatissez la boule de pâte avec la main et étendez-la avec un rouleau à pâtisserie préalablement fariné, à l'épaisseur voulue (1 mm pour des pâtes en rubans comme les fettuccines ou les tagliatelles, 0,5 mm pour des pâtes à farcir).

4. Découper

Enroulez délicatement la pâte autour du rouleau à pâtisserie et déposez-la sur un linge fariné. Laissez-la reposer environ 10 minutes (moins si l'air est très sec) ; elle doit être sèche au toucher mais rester souple. Donnez-lui la forme d'un cylindre et, avec un couteau effilé, découpez des rondelles, qui, déroulées, deviendront des rubans de la largeur voulue.

PÂTES FRAÎCHES A LA MACHINE

1. Mélanger

Versez la farine dans le bol d'un mixeur déjà équipé de sa lame métallique rotative. Cassez les œufs.

2. Malaxer

Actionnez l'appareil par pressions successives pour amalgamer les ingrédients, puis donnez quelques pressions plus prolongées jusqu'à ce que la pâte forme une boule. Posez-la sur le plan de travail légèrement fariné et finissez de pétrir à la main *(voir étape 2, ci-contre).*

3. Abaisser

Placez les rouleaux de la machine en position très écartée. Divisez la boule de pâte en six portions égales et farinez-les légèrement. Faites-les passer entre les rouleaux. Saupoudrez légèrement de farine les feuilles de pâte ainsi obtenues. Repliez-les en trois, puis repassez-les dans la machine, dont vous aurez resserré les rouleaux. Recommencez l'opération jusqu'à obtention de l'épaisseur souhaitée.

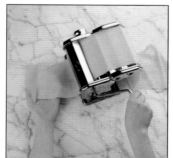

4. Découper

Placez dans la machine l'instrument à découper de la largeur voulue. Divisez les feuilles de pâte en bandes facilement maniable et introduisez-les dans la machine pour obtenir, par exemple, de minces rubans de taglierinis.

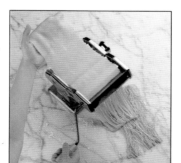

PÂTES FARCIES

Il existe deux techniques de base pour enrober de pâte de savoureuses garnitures.

On peut farcir les pâtes fraîches de diverses manières, mais le principe de base est toujours le même : l'enveloppe de pâte doit être bien soudée pour que la farce ne s'échappe pas en cours de cuisson.

Deux techniques sont présentées ici. La première consiste à disposer régulièrement des petits tas de farce sur une bande de pâte. Celle-ci est ensuite légèrement humidifiée, puis recouverte d'une seconde bande de pâte. On y découpe alors de petits carrés de raviolis, ou de tortellinis.

La seconde méthode consiste à garnir individuellement de petits morceaux de pâte. Le bord de chaque disque est ensuite soigneusement humecté d'eau au pinceau et soudé par pression des doigts. On forme ainsi des demi-lunes, que l'on peut replier délicatement pour obtenir des tortellinis.

FARCE DE DEUX FEUILLES DE PÂTE

1. Farcir
Abaissez la boule de pâte sur le plan de travail fariné, découpez-la en longues bandes d'environ 7,5 cm de large – éventuellement à l'aide d'une roulette à pâtisserie cannelée – et déposez au milieu des petits tas de farce à intervalles réguliers.

2. Souder et découper
A l'aide d'un petit pinceau, humidifiez les bords et les intervalles entre chaque cuillerée de mélange. Superposez une deuxième bande de pâte. Pressez bien autour de chaque portion et découpez des petits carrés avec la roulette à pâtisserie.

FARCE INDIVIDUELLE

1. Découper et farcir
Abaissez la pâte sur le plan de travail fariné et découpez-la en petits disques de 5 cm de diamètre. Placez une cuillerée de farce au milieu de chacun d'eux. Humectez les bords au pinceau, repliez en deux et pincez entre les doigts pour bien souder.

2. Mettre en forme
Retroussez le bord aplati vers le haut et humidifiez les extrémités du croissant au pinceau. Puis, en maintenant la partie centrale contre l'ongle de l'index, repliez délicatement les pointes en les enroulant autour du doigt et soudez-les.

CUISSON DES PÂTES

Voici quelques conseils pratiques pour que vos pâtes soient savoureuses et cuites à point.

Pour servir des pâtes *al dente* – tendres mais encore fermes –, vous devez faire bouillir suffisamment d'eau pour qu'elles puissent tourner librement dans le faitout. Ainsi, il faut 5 litres d'eau pour 500 grammes de pâtes fraîches, et 5 à 6 litres pour 500 à 600 grammes de pâtes sèches (ces quantités conviennent pour six personnes). Le temps de cuisson dépend de la forme des pâtes, de leur grosseur et de leur état, frais ou sec. Les pâtes fraîches sont généralement cuites en 1 à 3 minutes, tandis que les pâtes sèches nécessitent de 3 à 15 minutes. Suivez les indications données par le fabricant. Pour vérifier la cuisson, retirez une pâte de l'eau, laissez-la refroidir un instant et goûtez-la. Sauf indication contraire, les pâtes doivent toujours être servies dans un plat préalablement chauffé.

CONSERVATION DES PÂTES

Les pâtes fraîches, une fois préparées et découpées (*voir pages 10-11*), peuvent séjourner à température ambiante jusqu'à ce qu'elles soient complètement sèches. Elles se conserveront ensuite 1 semaine au réfrigérateur, enveloppées hermétiquement, ou plus de 3 mois au congélateur.

Les pâtes sèches industrielles sont en principe exemptes de toute humidité. Elles peuvent se garder 1 an à température ambiante, dans un bocal hermétiquement clos.

Les pâtes farcies se conservent 1 ou 2 jours au réfrigérateur, dans un récipient hermétiquement clos, et parfois jusqu'à 1 semaine, selon la garniture.

Dans tous les cas, les pâtes, une fois cuites, se conservent 12 heures au réfrigérateur.

1. Cuire et égoutter
Faites chauffer suffisamment d'eau, additionnée d'une cuillerée et demie de sel environ, dans un grand faitout (éventuellement avec une passoire incorporée). Lorsque l'eau bout à gros bouillons, jetez-y les pâtes. Si les bouillons diminuent, couvrez un instant pour faire remonter la température de l'eau. Laissez cuire jusqu'à ce que les pâtes soient *al dente*, tendres mais fermes. Égouttez en soulevant le panier perforé ou bien en versant les pâtes dans une passoire.

2. Ajouter la sauce
Si la recette l'indique, versez les pâtes dans la casserole contenant la sauce, en ajoutant éventuellement deux ou trois cuillerées d'eau de cuisson pour que le mélange se fasse plus aisément. Remuez délicatement.

Radiatoris à l'Avocat

Pour 6 personnes

600 g de radiatoris
1 avocat
2 tomates bien mûres, pelées et coupées
   en brunoise
Le jus de 1/2 citron
1 pincée de piment séché en poudre
1 cuillerée à soupe de persil plat, finement
   ciselé
6 cuillerées à soupe d'huile d'olive vierge
Sel

Ce plat , qui se sert généralement chaud, est également excellent froid. Dans ce cas, il faut mélanger les pâtes avec de l'huile tout de suite après les avoir égouttées, puis les laisser refroidir complètement. Dès lors, vous pouvez même les congeler. Au moment de servir, ajoutez les tranches d'avocat et la tomate, et parsemez de persil finement ciselé.

*F*aites bouillir 6 litres d'eau salée dans un grand faitout ; cuisez les radiatoris *al dente*.

   Pendant ce temps, coupez l'avocat en deux. Retirez le noyau, puis la peau, et émincez-le en fines tranches dans le sens de la longueur. Mettez celles-ci dans un saladier, arrosez-les de jus de citron, puis saupoudrez de piment et de sel. Ajoutez l'huile d'olive et remuez délicatement.

   Égouttez les pâtes et mettez-les dans un plat de service. Versez dessus l'avocat et sa sauce, et mélangez délicatement. Parsemez de morceaux de tomate et de persil. Servez aussitôt.

Fettuccines à l'Ail et au Piment

Pour 6 personnes

600 g de fettuccines
6 têtes d'ail entières
1 pincée de piment séché en poudre
6 cuillerées à soupe d'huile d'olive vierge
Sel

Les têtes d'ail rôties sont si délicieuses que vous pouvez en préparer un peu plus, que vous écraserez entre deux tranches de pain croustillant.

Vous pouvez aussi confectionner une sauce similaire à base d'oignons. Dans ce cas, vous ferez rôtir trois petits oignons rouges, que vous éplucherez ensuite avant de les réduire en purée au mixeur avec de l'huile.

Les deux versions – à l'ail ou à l'oignon – sont également très bonnes une fois refroidies à température ambiante.

Préchauffez le four à 180 °C et enveloppez chaque tête d'ail séparément dans du papier d'aluminium. Placez ces papillotes sur une grille au milieu du four et laissez rôtir pendant 45 minutes. Sortez-les du four et laissez-les refroidir.

Faites bouillir 6 litres d'eau salée dans un grand faitout, jetez-y les fettuccines et laissez-les cuire *al dente*.

Pendant ce temps, sortez les têtes d'ail de leurs papillotes, séparez les gousses, épluchez-les et écrasez-les dans un plat préalablement chauffé. Ajoutez l'huile d'olive et le sel. Saupoudrez de piment et mélangez bien à la fourchette.

Égouttez les pâtes, versez-les dans le plat. Mélangez-les avec la sauce à l'ail et servez aussitôt.

Rigatonis à la Tomate et aux Haricots Blancs

Pour 6 personnes

500 g de rigatonis

180 g de haricots blancs

600 g de tomates olivettes bien mûres,
  pelées et hachées (ou tomates pelées
  en conserve, égouttées et hachées)

3 gousses d'ail, hachées

20 feuilles de sauge fraîches

6 cuillerées à soupe d'huile d'olive vierge

Sel, poivre fraîchement moulu

Les haricots blancs mijotés avec de la tomate prennent une consistance moelleuse, extrêmement savoureuse. Si vous utilisez des haricots en conserve, rincez-les préalablement à l'eau froide.

Mettez les haricots à tremper dans de l'eau froide pendant 12 heures. Égouttez-les et mettez-les dans une cocotte. Couvrez-les d'eau à hauteur (environ 2,5 cm) et portez à ébullition sur feu moyen. Réduisez le feu et laissez mijoter pendant 1 h 30 mn environ, jusqu'à ce que les haricots deviennent bien tendres et que le jus soit complètement absorbé.

Au bout de 1 heure de cuisson, faites chauffer l'huile à feu doux dans une grande sauteuse. Ajoutez l'ail et les feuilles de sauge ; laissez revenir environ 2 minutes, en tournant fréquemment, jusqu'à ce que l'ail devienne translucide. Ajoutez les tomates, salez et poivrez. Faites mijoter 20 minutes environ. Incorporez alors les haricots, posez le couvercle en le laissant légèrement entrouvert et laissez cuire encore 15 minutes.

Pendant ce temps, mettez 5 litres d'eau salée à bouillir dans un grand faitout. Jetez-y les rigatonis et faites-les cuire *al dente*. Égouttez les pâtes et mettez-les dans la sauteuse contenant les haricots blancs. Augmentez le feu et mélangez bien pendant 1 minute environ. Mettez la préparation dans un plat préalablement chauffé et servez aussitôt.

Spaghettis Sauce Estivale

Pour 6 personnes

600 g de spaghettis
300 g de tomates bien mûres, pelées
   et coupées en deux
1 courgette
1/2 branche de céleri, blanc ou vert,
   nettoyée et coupée en rondelles
   de 2 cm de large
1 poignée de feuilles de persil plat
8 cuillerées à soupe d'huile d'olive vierge
Sel, poivre fraîchement moulu

Cette sauce délicieuse et très parfumée, à base de tomates, de céleri, de courgette et de persil, se déguste aussi bien chaude que froide. Quand la saison des tomates est passée, remplacez-les par la peau de trois courgettes et deux bulbes de fenouil, coupés en tranches et ébouillantés, ou encore par deux céleris-raves, épluchés, coupés en rondelles, mis à bouillir jusqu'à ce qu'ils soient tendres et réduits en crème.

Saupoudrez les moitiés de tomates d'un peu de sel et laissez-les dégorger dans une passoire, parties tranchées vers le bas, pendant 1 heure.

A l'aide d'un couteau économe, épluchez la courgette et conservez les pelures (la chair de la courgette pourra servir à la confection d'une soupe).

Mettez 6 litres d'eau salée à bouillir dans un grand faitout. Jetez-y les spaghettis et faites-les cuire *al dente*.

Pendant ce temps, passez au mixeur ou à la moulinette les tomates, le céleri, les épluchures de courgette, le persil et l'huile d'olive. Salez, poivrez et continuez à mixer jusqu'à obtention d'un mélange homogène et onctueux.

Égouttez les pâtes et mettez-les dans un plat de service. Arrosez de sauce et mélangez bien. Ce plat peut se déguster aussitôt ou après avoir refroidi à température ambiante.

Fusillis aux Poivrons et à la Mozzarella

Pour 6 personnes

500 g de fusillis
3 poivrons rouges ou jaunes (ou panachés)
300 g de mozzarella, coupée en petits dés
2 filets d'anchois à l'huile, égouttés
2 cuillerées à soupe de câpres au vinaigre,
    soigneusement égouttées
12 feuilles de basilic frais, ciselées
1 gousse d'ail
6 cuillerées à soupe d'huile d'olive vierge
Sel, poivre fraîchement moulu

L'utilisation de poivrons de différentes teintes permet de faire de cette salade de pâtes, originaire du sud de l'Italie, un plat haut en couleur. A l'exception du basilic, qui doit être très frais, tous les ingrédients peuvent être achetés plusieurs jours à l'avance et conservés au réfrigérateur. On peut remplacer la mozzarella par du fromage frais maigre, préalablement égoutté.

*P*réchauffez le four à 180 °C.

Disposez les poivrons entiers dans un plat à gratin et enfournez-les pendant 20 minutes environ : ils doivent être tendres lorsque vous les piquez avec une fourchette. Sortez-les et enveloppez-les dans du papier d'aluminium. Laissez-les reposer 5 minutes, puis pelez-les avec les doigts. Coupez-les en deux, épépinez-les, ôtez les parties blanchâtres et découpez-les en lanières de 1 centimètre de large.

Mettez l'ail et les anchois dans un bol ; écrasez-les à la fourchette pour obtenir une pâte homogène.

Dans un grand faitout, mettez à bouillir 5 litres d'eau salée ; plongez-y les fusillis et faites-les cuire *al dente*.

Égouttez les pâtes et mettez-les dans un plat de service. Arrosez d'huile d'olive, ajoutez la pâte d'anchois et les câpres ; mélangez, puis laissez refroidir à température ambiante.

Ajoutez les poivrons, la mozzarella et le basilic ; salez, poivrez, remuez bien et servez froid.

Salade de Conchiglies au Thon

Pour 6 personnes

500 g de conchiglies
300 g de laitue, lavée, essorée et coupée
200 g de thon en boîte, au naturel
   ou à l'huile, égoutté et émietté
6 cuillerées à soupe d'huile d'olive vierge
Sel, poivre fraîchement moulu

Pour égayer cette salade génoise, vous pouvez remplacer la laitue par de la trévise, de la salade feuilles de chêne ou du chou rouge. Décorez de quartiers de citron.

Mettez à bouillir 5 litres d'eau salée dans un grand faitout. Jetez-y les conchiglies.

Quand les pâtes sont cuites *al dente*, égouttez-les et mettez-les dans un saladier. Incorporez l'huile d'olive, mélangez et laissez tiédir pendant 5 minutes.

Ajoutez la laitue et le thon. Salez, poivrez, remuez bien et servez légèrement tiède ou à température ambiante.

Linguines aux Pommes de Terre et au Romarin

Pour 6 personnes

500 g de linguines

3 pommes de terre bouillies, pelées
et coupées en julienne

1 petit oignon, finement haché

2 cuillerées à soupe de romarin frais,
finement haché

6 cuillerées à soupe d'huile d'olive vierge

Sel, poivre fraîchement moulu

Originaire des rives de la méditerranée, le romarin pousse le long de la plupart des côtes italiennes. Dans ce plat génois, ses feuilles très parfumées agrémentent une simple garniture de pommes de terre à l'huile d'olive. Pour varier, vous pouvez remplacer le romarin par du thym ou de l'origan, ou bien mélanger ces trois herbes aromatiques.

Mettez à bouillir 5 litres d'eau salée dans un grand faitout. Jetez-y les pommes de terre et les pâtes, jusqu'à ce que celles-ci soient cuites *al dente*.

Pendant ce temps, dans une poêle sur feu moyen, chauffez 3 cuillerées à soupe d'huile d'olive ; faites-y revenir l'oignon et le romarin environ 5 minutes, sans cesser de remuer ; l'oignon doit se colorer légèrement.

Égouttez les pâtes et les pommes de terre, puis mettez-les dans un plat de service préalablement chauffé. Versez par-dessus le contenu de la poêle et l'huile d'olive restante. Assaisonnez de sel et de poivre. Mélangez bien et servez aussitôt.

Fusillis aux Grains de Maïs

Pour 6 personnes

500 g de fusillis
3 épis de maïs
2 cuillerées à soupe de ciboulette fraîche,
 finement hachée
90 g de beurre à température ambiante
Sel, poivre fraîchement moulu

En été, le maïs tendre et parfumé donnera à ce plat une saveur subtile inimitable. Hors saison, l'utilisation de grains de maïs en boîte (de préférence sous vide) vous permettra également de confectionner une garniture fraîche et originale. L'emploi de beurre est typique de l'Italie du Nord, mais vous pouvez le remplacer par la traditionnelle huile d'olive.

Mettez à bouillir 5 litres d'eau salée dans un grand faitout.

Pendant ce temps, épluchez les épis de maïs et débarrassez-les de leurs filaments. Jetez-les dans l'eau bouillante. Dès la reprise de l'ébullition, éteignez le feu, couvrez et attendez 5 minutes.

Sortez le maïs de l'eau avec des pincettes et laissez-le refroidir. A l'aide d'un couteau effilé, égrenez les épis et mettez les grains dans un plat de service préalablement chauffé.

Portez à nouveau l'eau à ébullition et jetez-y les fusillis. Quand ils sont cuits *al dente*, égouttez-les, puis mettez-les dans le plat avec le maïs. Ajoutez le beurre et la ciboulette, salez et poivrez. Mélangez bien et servez aussitôt.

Linguines au Basilic

Pour 6 personnes

600 g de linguines

50 g de feuilles de basilic, lavées et bien essorées

2 cuillerées à soupe de chèvre sec, fraîchement râpé

3 cuillerées à soupe de parmesan, fraîchement râpé

3 cuillerées à soupe de pignons

2 gousses d'ail

8 cuillerées à soupe d'huile d'olive vierge

Sel

Le mariage des deux fromages, basilic, des pignons, de l'ail et de l'huile d'olive constitue une riche sauce verte qui, au contact des pâtes fumantes, dégage un somptueux éventail de parfums. Vous pouvez accommoder de la même manière des pâtes tièdes ou froides, à condition d'y avoir ajouté 2 cuillerées à soupe d'huile d'olive après les avoir égouttées, pour éviter qu'elles ne collent en refroidissant.

Mettez à bouillir 6 litres d'eau salée dans un grand faitout.

Pendant ce temps, passez quelques secondes au mixeur ou à la moulinette le basilic et environ 1/2 cuillerée à café de sel. Ajoutez les fromages, les pignons, l'ail et l'huile d'olive. Mixez jusqu'à obtention d'un mélange crémeux. Laissez reposer.

Jetez les linguines dans l'eau bouillante et faites-les cuire *al dente*. Versez 1 cuillerée à soupe d'eau de cuisson dans la sauce au basilic et remuez.

Égouttez les pâtes et mettez-les dans un plat de service préalablement chauffé. Nappez de sauce, mélangez bien et servez aussitôt.

Spaghettis aux Crevettes

Pour 6 personnes

500 g de spaghettis

500 g de grosses crevettes roses,
   décortiquées

300 g de tomates olivettes bien mûres,
   pelées et hachées (ou tomates pelées
   en boîte, égouttées et hachées)

1 petit oignon, haché

1 cuillerée à soupe de persil plat, haché

9 cl de vin blanc sec

3 cuillerées à soupe d'huile d'olive vierge

Sel, poivre fraîchement moulu

*Dans ce plat vénitien particulièrement raffiné, les tomates reve-
nues dans le vin blanc rehaussent la saveur des crevettes fraîchement pêchées. Pour un repas de fête, utilisez du homard
préalablement poché, décortiqué et grossièrement haché, puis
plongez les pâtes dans son eau de cuisson.*

*M*ettez à bouillir 5 litres d'eau salée dans un faitout.

Dans une grande poêle, sur feu doux, faites chauffer l'huile
et mettez-y à blondir l'oignon, en remuant souvent, pendant
3 minutes environ. Ajoutez les crevettes, augmentez légèrement
le feu et laissez mijoter 2 minutes, sans cesser de tourner.
Mouillez avec le vin blanc et poursuivez la cuisson 2 minutes
environ, jusqu'à ce que le jus soit évaporé. Ajoutez les tomates,
salez, poivrez et maintenez sur le feu encore 2 minutes.

Pendant ce temps, jetez les spaghettis dans l'eau bouillante.
Quand ils sont cuits *al dente*, égouttez-les et versez-les dans la
poêle contenant les crevettes. Ajoutez le persil et laissez mijoter
2 minutes à feu modéré, en remuant de temps en temps.

Disposez les pâtes dans un plat de service préalablement
chauffé et apportez fumant sur la table.

Pennes aux Asperges

Pour 6 personnes

500 g de pennes
1,5 kg d'asperges vertes
6 filets d'anchois à l'huile d'olive, égouttés
6 cuillerées à soupe d'huile d'olive vierge
Sel, poivre fraîchement moulu

Au printemps, les Italiens guettent avec impatience l'apparition des asperges sur les collines, où elles poussent à l'état sauvage. Ils les utilisent dans de multiples recettes, comme celle-ci, très simple, où leur saveur subtile contraste avec le goût prononcé des anchois. A d'autres périodes de l'année, vous pouvez remplacer les asperges par des bulbes de fenouil ou des cœurs d'artichauts.

*M*ettez 5 litres d'eau salée à bouillir dans un grand faitout.

Retirez l'extrémité dure des asperges et coupez la partie tendre en bâtonnets de 2 centimètres de long.

Jetez les pâtes et les asperges dans l'eau bouillante, et faites cuire jusqu'à ce que les pâtes soient *al dente*.

Pendant ce temps, chauffez l'huile dans une grande poêle, sur feu doux. Ajoutez les anchois, écrasez-les à l'aide d'une cuillère en bois et laissez-les revenir 1 minute environ, en remuant.

Égouttez les pâtes et les asperges, puis versez-les dans la poêle contenant les anchois. Augmentez le feu et laissez chauffer 2 minutes, sans cesser de remuer. Poivrez.

Mettez les pâtes dans un plat préalablement chauffé et servez bien chaud.

Fusillis aux Oignons et au Bacon

Pour 6 personnes

600 g de fusillis
10 g de cèpes séchés (ou 180 g
    de champignons de Paris)
90 g de bacon ou de lard fumé (pancetta),
    coupé en lanières
300 g d'oignons, finement émincés
12 cl de vin blanc sec
60 g de parmesan, fraîchement râpé
6 cuillerées à soupe d'huile d'olive vierge
Sel, poivre fraîchement moulu

Cette recette est originaire du nord de l'Italie. Pour varier, vous pouvez supprimer les champignons et ajouter 1 cuillerée à soupe de graines de fenouil dans le vin.

Si vous utilisez des cèpes séchés, mettez-les à tremper 30 minutes dans de l'eau tiède. Si vous les remplacez par des champignons frais, retirez les pieds terreux, nettoyez-les avec un linge et émincez-les en lamelles.

Dans une grande poêle, sur feu moyen, faites chauffer 4 cuillerées à soupe d'huile et mettez-y à revenir les oignons pendant 5 minutes, en remuant de temps en temps. Quand ils ont pris couleur, ajoutez le vin et les champignons, salez modérément et poivrez. (Si vous utilisez des champignons frais, faites-les revenir avec les oignons.) Baissez le feu, couvrez et laissez mijoter doucement pendant 40 minutes.

Dans une petite poêle, faites chauffer le reste d'huile à feu moyen et mettez-y à revenir le bacon pendant 5 minutes, en remuant de temps en temps. Éteignez et laissez reposer.

Faites bouillir 6 litres d'eau salée dans un grand faitout. Jetez-y les fusillis. Quand ils sont cuits *al dente*, égouttez-les et versez-les dans la poêle contenant les oignons. Ajoutez le lard et laissez cuire 2 minutes à feu moyen, en remuant souvent. Goûtez, rectifiez l'assaisonnement.

Mettez les pâtes sur un plat de service préalablement chauffé, saupoudrez de parmesan et servez bien chaud.

Spaghettis aux Pignons et aux Raisins Secs

Pour 6 personnes

600 g de spaghettis
60 g de raisins secs
300 g de scarole, ciselée
60 g de pignons
3 gousses d'ail, hachées
6 cuillerées à soupe d'huile d'olive vierge
Sel, poivre fraîchement moulu

Les Siciliens ont coutume de mettre des raisins secs et des pignons dans de nombreuses sauces, notamment celles à base de légumes ou de poisson. Dans la recette proposée ici, les raisins et les pignons sont associés à de la scarole, mais vous pouvez remplacer cette dernière par de la trévise, trois filets d'anchois ou 180 grammes de saucisse revenue dans de l'huile avec de l'ail.

Mettez les raisins à tremper pendant 30 minutes dans de l'eau tiède. Égouttez-les en les pressant.

Faites bouillir 6 litres d'eau salée dans un faitout.

Pendant ce temps, chauffez l'huile dans une poêle, sur feu doux, et faites-y revenir l'ail 2 minutes, en remuant fréquemment. Quand il est translucide, ajoutez la scarole et remuez bien pour qu'elle s'imprègne d'huile ; assaisonnez de sel et de poivre. Couvrez et maintenez 10 minutes à feu doux, en remuant de temps en temps.

Jetez les spaghettis dans l'eau bouillante.

Quand ils sont cuits *al dente*, égouttez-les, mettez-les dans la poêle contenant la salade. Ajoutez les raisins secs et laissez cuire encore 2 minutes, en remuant souvent.

Disposez les pâtes sur un plat de service préalablement chauffé. Parsemez de pignons et dégustez très chaud.

Fusillis à la Saucisse et au Chou

Pour 6 personnes

500 g de fusillis

600 g de chou vert ou rouge, nettoyé
et émincé

300 g de saucisse douce italienne, pelée
et coupée en morceaux

300 g de tomates olivettes bien mûres,
pelées et hachées (ou tomates pelées
en boîte, égouttées et hachées)

1 cuillerée à soupe d'oignon haché

6 cuillerées à soupe d'huile d'olive vierge

Sel, poivre fraîchement moulu

Le chou, la tomate et la saucisse douce s'associent à merveille aux petites pâtes en spirale dans cette recette lombarde. Vous pouvez remplacer la saucisse par du jambon cuit ou du bacon haché, en réduisant, dans ce cas, la quantité de moitié.

Dans une grande poêle, sur feu moyen, faites chauffer la moitié de l'huile et mettez-y à blondir l'oignon 5 minutes, en remuant souvent. Ajoutez l'émincé de chou, faites sauter 2 minutes, puis incorporez les tomates, salez et poivrez. Mélangez bien, posez le couvercle en le laissant légèrement entrouvert et laissez mijoter 40 minutes sur feu doux, en remuant de temps en temps, jusqu'à ce que le jus s'évapore.

Dans une petite poêle, sur feu moyen, faites chauffer le reste d'huile et mettez-y à revenir les morceaux de saucisse 6 minutes, en remuant de temps en temps, jusqu'à ce qu'ils brunissent légèrement.

Pendant ce temps, faites bouillir 5 litres d'eau salée dans un grand faitout. Jetez-y les fusillis.

Quand les pâtes sont cuites *al dente*, égouttez-les et mettez-les sur un plat de service préalablement chauffé. Ajoutez le chou à la tomate, mélangez, parsemez de morceaux de saucisse et servez bien chaud.

Gemellis aux Quatre Fromages

Pour 6 personnes

600 g de gemellis
60 g de fontina, coupée en fines lanières
60 g de gorgonzola, émietté
60 g d'emmenthal, coupé en fines lanières
60 g de parmesan, fraîchement râpé
12 cl de crème fraîche épaisse
Sel, poivre fraîchement moulu

Si le parmesan reste indispensable dans cette recette aux riches saveurs, les trois autres fromages sont susceptibles d'être remplacés. Ainsi, vous pouvez substituer du camembert ou du brie à la fontina, du roquefort ou du bleu au gorgonzola, et du gruyère ou tout autre fromage à pâte ferme à l'emmenthal.

*F*aites bouillir 6 litres d'eau salée dans un grand faitout.

Pendant ce temps, dans une poêle, mettez la fontina, le gorgonzola, l'emmenthal et la crème ; faites cuire à feu doux 5 minutes environ, jusqu'à ce que les fromages aient presque complètement fondu. Mélangez bien et gardez au chaud.

Jetez les pâtes dans l'eau bouillante.

Quand elles sont cuites *al dente*, égouttez-les et mettez-les dans un plat de service préalablement chauffé. Nappez de sauce au fromage, salez, poivrez et mélangez. Saupoudrez de parmesan et servez aussitôt.

Fettuccines aux Petits Pois et au Jambon

Pour 6 personnes

500 g de fettuccines
300 g de petits pois, écossés
90 g de jambon, coupé en lanières
1 petit oignon, finement haché
25 cl de crème fraîche épaisse
2 cuillerées à soupe de beurre
Sel

Les petits pois frais sont particulièrement délicieux dans cette recette d'Émilie-Romagne, mais les petits pois surgelés conviennent aussi. Il suffit de les jeter dans l'eau bouillante et d'attendre la reprise de l'ébullition pour ajouter les pâtes.

Mettez 5 litres d'eau salée à bouillir dans un grand faitout.

Faites fondre le beurre à feu doux dans une poêle et mettez-y à revenir l'oignon 3 minutes, en remuant souvent, jusqu'à ce qu'il blondisse. Ajoutez alors le jambon et la crème. Laissez mijoter 5 minutes, en remuant fréquemment. Salez et réservez au chaud.

Jetez les petits pois et les fettucines dans l'eau bouillante.

Quand les pâtes sont cuites *al dente*, égouttez-les, ainsi que les petits pois, puis mettez-les dans un plat de service préalablement chauffé.

Nappez de sauce, mélangez bien et servez aussitôt.

Salade de Spaghettis à la Tomate

Pour 6 personnes

600 g de spaghettis
300 g de tomates bien mûres, pelées
60 g de roquette, nettoyée et lavée
8 cuillerées à soupe d'huile d'olive vierge
Sel, poivre fraîchement moulu

Cette sauce originale associe les tomates légèrement sucrées et la roquette légèrement poivrée. A défaut de roquette, vous pouvez utiliser de la mâche, ou encore 30 grammes de feuilles de basilic frais ou de persil plat. Une fois accommodée, cette salade peut se conserver 6 heures au réfrigérateur, mais elle doit être servie à température ambiante.

Coupez les tomates en deux et pressez-les délicatement pour les épépiner et en retirer l'excès de jus.

Faites bouillir 6 litres d'eau salée dans un grand faitout et plongez-y les spaghettis.

Pendant ce temps, passez la roquette et les tomates au mixeur ou à la moulinette. Salez et poivrez. Tout en actionnant l'appareil, ajoutez l'huile en filet, comme pour une mayonnaise. Le mélange doit devenir lisse et crémeux.

Quand les pâtes sont cuites *al dente*, égouttez-les et mettez-les dans un saladier. Ajoutez la moitié de la sauce à la tomate, mélangez, puis nappez avec le reste de sauce. Laissez refroidir avant de servir.

Spaghettis à la Carbonara

Pour 6 personnes

600 g de spaghettis
90 g de lard maigre (pancetta) ou de bacon,
   coupé en fines lanières
3 jaunes d'œufs
50 g de parmesan, fraîchement râpé
6 cuillerées à soupe d'huile d'olive vierge
Sel, poivre fraîchement moulu

Dans cette recette très simple, chère aux Romains, la chaleur des pâtes égouttées suffit à cuire les jaunes d'œufs. L'origine de son nom est obscure : certains prétendent que c'était le plat favori des mineurs (carbonari), *d'autres qu'il avait la préférence des marchands de charbon.*

*D*ans un bol, battez les jaunes d'œufs avec le parmesan. Assaisonnez de sel et de poivre.

Faites bouillir 6 litres d'eau salée dans un faitout. Dans une grande poêle, sur feu modéré, chauffez l'huile et mettez-y à rissoler le lard ou le bacon pendant 5 minutes.

Durant ce temps, jetez les spaghettis dans l'eau bouillante et faites-les cuire à peine *al dente*.

Égouttez les pâtes, mettez-les dans la poêle contenant le lard, et remuez sur feu doux pendant 2 minutes.

Disposez les pâtes sur un plat de service préalablement chauffé. Nappez avec les œufs battus, remuez aussitôt pour bien enrober les spaghettis et servez très chaud.

Farfalles aux Noix et au Zeste de Citron

Pour 6 personnes

600 g de farfalles (papillons)
60 g de cerneaux de noix, très finement
    hachés
2 cuillerées à soupe de cognac
90 g de beurre
1 cuillerée à soupe de zeste de citron râpé
Sel, poivre fraîchement moulu

Dans cette recette inhabituelle et très parfumée, les noix peuvent être remplacées par des amandes, des noisettes ou des pignons.

Mettez à bouillir 6 litres d'eau salée dans un grand faitout. Jetez-y les pâtes et faites-les cuire *al dente*.

Pendant ce temps, faites fondre le beurre au bain-marie. Ajoutez les noix, le zeste de citron et le cognac ; mélangez et réservez au chaud sur feu doux.

Égouttez les pâtes et versez-les dans un plat de service préalablement chauffé. Ajoutez le mélange aux noix, salez, poivrez, remuez bien et servez très chaud.

Linguines à la Sole, au Lard et à la Tomate

Pour 6 personnes

500 g de linguines

500 g de filets de sole

300 g de tomates olivettes bien mûres, pelées et hachées (ou tomates pelées en boîte, égouttées et hachées)

60 g de lard maigre ou de bacon, coupé en lanières

3 cuillerées à soupe d'huile d'olive vierge

Sel, poivre fraîchement moulu

Dans cette recette très facile à préparer, vous pouvez remplacer les filets de sole par des filets de cabillaud ou de colin, ou bien par des crevettes décortiquées.

*F*aites bouillir 5 litres d'eau salée dans un grand faitout.

Coupez les filets de sole en morceaux d'environ 5 centimètres de long sur 1,2 cm de large.

Dans une grande poêle, sur feu moyen, faites chauffer l'huile et mettez-y à rissoler le lard 5 minutes, en remuant de temps en temps. Ajoutez le poisson et laissez-le frire 2 minutes ; incorporez les tomates et maintenez 5 minutes sur feu modéré, en remuant régulièrement. Assaisonnez de sel et de poivre.

Jetez les pâtes dans l'eau bouillante. Quand elles sont cuites *al dente*, égouttez-les et mettez-les dans la poêle contenant la sauce à la tomate. Laissez cuire 2 minutes à feu moyen, en tournant délicatement.

Versez dans un plat de service préalablement chauffé et dégustez aussitôt.

Gratin de Rigatonis au Jambon et aux Champignons

Pour 6 personnes

360 g de rigatonis

180 g de jambon, grossièrement haché

120 g de fontina (ou d'emmenthal), coupée en fines lanières

10 g de cèpes séchés (ou 180 g de champignons de Paris frais)

90 g de beurre, plus 30 g pour les champignons frais

6 dl de lait

50 g de farine

1 pincée de noix muscade, fraîchement râpée

Sel, poivre fraîchement moulu

Si vous utilisez des cèpes séchés, mettez-les à tremper 30 minutes dans de l'eau tiède. Puis égouttez-les, essorez-les et hachez-les. Si vous vous servez de champignons de Paris frais, ôtez les pieds terreux, nettoyez les chapeaux avec un linge et émincez-les. Faites-les revenir 2 minutes à la poêle, sur feu moyen, dans 30 grammes de beurre.

Faites bouillir 5 litres d'eau salée dans un grand faitout. Jetez-y les rigatonis. Dès qu'ils sont *al dente*, égouttez-les et mettez-les dans un saladier ; ajoutez 30 grammes de beurre et mélangez.

Préchauffez le four à 180 °C.

Faites fondre 30 grammes de beurre dans une poêle, sur feu moyen, puis ajoutez la farine et remuez pendant 2 minutes. Versez progressivement le lait, sans cesser de tourner, et continuez à remuer encore 10 minutes, jusqu'à ce que la sauce épaississe : elle doit être lisse et onctueuse. Retirez la poêle du feu, ajoutez les champignons, saupoudrez de noix muscade et mélangez. Assaisonnez de sel et de poivre.

Graissez un plat à gratin de 30 x 20 centimètres avec le reste de beurre. Garnissez le fond avec un tiers des rigatonis, parsemez d'un tiers de fromage et de jambon, puis nappez d'un tiers de la sauce. Répétez l'opération deux fois, en terminant par la sauce.

Enfournez le plat et laissez cuire pendant 20 minutes environ : des bulles doivent se former à la surface du gratin. Servez très chaud.

Fedelinis à la Mie de Pain et à l'Ail

Pour 6 personnes

600 g de fedelinis

3 gousses d'ail, finement hachées

180 g de mie de pain de campagne rassis,
   émiettée

8 cuillerées à soupe d'huile d'olive vierge

Sel, poivre fraîchement moulu

Les Toscans, comme les habitants des Pouilles, préparent d'excellents plats de pâtes très simples, à base de mie de pain et d'ail revenus dans l'huile d'olive. Les Apuliens ajoutent parfois des anchois à cette recette ancestrale. Vous pouvez également faire revenir trois filets d'anchois avec l'ail. Dans ce cas, vous veillerez à ne pas trop saler.

*F*aites bouillir 6 litres d'eau salée dans un grand faitout. Plongez-y les fedelinis et faites-les cuire *al dente*.

Pendant ce temps, chauffez l'huile dans une poêle et mettez-y à revenir l'ail 3 minutes environ, en remuant souvent, jusqu'à ce qu'il change de couleur. Ajoutez la mie de pain, sans cesser de tourner, et laissez-la dorer 2 minutes.

Égouttez les pâtes et mettez-les dans un plat de service préalablement chauffé. Recouvrez de sauce, salez, poivrez, mélangez et servez très chaud.

Pennes aux Carottes et au Fromage de Chèvre

Pour 6 personnes

500 g de pennes
300 g de carottes, épluchées et coupées
    en rondelles de 2 mm d'épaisseur
180 g de fromage de chèvre
1 cuillerée à soupe de persil plat, haché
6 cuillerées à soupe d'huile d'olive vierge
Sel

Vous pouvez utiliser des pâtes blanches, mais la variété aux épinards se prête particulièrement bien à cette préparation.

*F*aites bouillir 5 litres d'eau salée dans un faitout.

Dans une grande poêle, sur feu moyen, chauffez l'huile et mettez-y à revenir les carottes pendant 10 minutes, en tournant de temps en temps, jusqu'à ce qu'elles soient tendres lorsqu'on les pique avec une fourchette. Salez.

Jetez les pennes dans l'eau bouillante et laissez-les cuire *al dente*. Pendant ce temps, écrasez le fromage de chèvre dans une assiette.

Égouttez les pâtes et versez-les dans la poêle. Maintenez sur feu moyen environ 2 minutes, en remuant fréquemment.

Mettez les pâtes dans un plat de service préalablement chauffé. Parsemez de fromage de chèvre et de persil, et servez aussitôt.

Pappardelles aux Foies de Volaille et à la Sauge

Pour 6 personnes

500 g de pappardelles (*voir recette page 10*)

300 g de foies de volaille, nettoyés et coupés en morceaux de 2 cm

60 g de lard maigre ou de bacon, coupé en lanières

60 g de beurre

20 feuilles de sauge fraîches

Sel, poivre fraîchement moulu

Les larges rubans de pâtes fraîches se marient admirablement avec les foies de volaille, que vous pouvez toutefois remplacer par des tranches de rognons, du blanc de poulet ou encore des escalopes de veau.

*P*réparez les pappardelles suivant la recette de base des pâtes fraîches aux œufs. Faites bouillir 5 litres d'eau salée dans un grand faitout.

Dans une poêle, sur feu moyen, chauffez le beurre et mettez-y à revenir le lard et la sauge. Faites rissoler environ 5 minutes, puis ajoutez les foies de volaille. Laissez frire 3 minutes, en remuant souvent. Assaisonnez de sel et de poivre.

Pendant ce temps, jetez les pâtes dans l'eau bouillante et laissez-les cuire environ 2 minutes, jusqu'à ce qu'elles remontent à la surface.

Égouttez les pâtes et disposez-les sur un plat de service préalablement chauffé. Nappez de la préparation aux foies de volaille, mélangez et servez aussitôt.

Fettuccines au Curry et aux Petits Pois

Pour 6 personnes

300 g de farine

3 gros œufs

2 cuillerées à soupe de curry en poudre

300 g de petits pois écossés

12 cl de crème fraîche épaisse

60 g de beurre

Sel, poivre fraîchement moulu

La poudre de curry ajoute à ce plat traditionnel une touche d'exotisme et une belle couleur dorée. Vous pouvez remplacer le beurre par 6 cuillerées à soupe d'huile d'olive vierge, que vous réchaufferez rapidement au bain-marie avant de la verser sur les pâtes.

*M*élangez bien la farine et le curry en poudre au mixeur ou au fouet. Préparez les fettuccines suivant la recette de base des pâtes fraîches aux œufs de la page 10.

Faites bouillir 5 litres d'eau salée dans un grand faitout et mettez-y les petits pois à cuire pendant 5 minutes.

Durant ce temps, mélangez la crème et le beurre dans une poêle. Sur feu doux, portez à ébullition et laissez bouillonner 2 minutes.

Plongez les pâtes dans l'eau bouillante 2 minutes ; elles doivent remonter à la surface.

Égouttez les pâtes et les petits pois, et mettez-les dans un plat de service préalablement chauffé. Nappez de crème, salez, poivrez, mélangez délicatement et servez aussitôt.

Pappardelles au Basilic

Pour 6 personnes

300 g de farine

3 gros œufs entiers, plus 1 jaune

30 g de fromage de brebis, fraîchement râpé

45 g de feuilles de basilic frais, lavées et bien essorées

6 cuillerées à soupe d'huile d'olive vierge

Sel, poivre fraîchement moulu

En incorporant du basilic frais à la pâte, vous obtiendrez d'appétissantes pappardelles mouchetées de vert et délicatement parfumées. Vous pouvez procéder de la même manière avec une quantité égale de persil plat, ou avec les deux tiers du volume indiqué de thym frais ou de romarin. A défaut de fromage de brebis, utilisez du parmesan.

*M*élangez la farine, le basilic et le fromage de brebis au mixeur, jusqu'à ce que le basilic soit complètement incorporé. Ajoutez les œufs entiers et le jaune, et confectionnez les pappardelles en suivant la recette de la page 10.

Faites bouillir 5 litres d'eau salée dans un grand faitout. Jetez-y les pâtes et laissez-les cuire 2 minutes environ ; elles doivent remonter à la surface.

Égouttez les pâtes et disposez-les sur un plat de service préalablement chauffé. Arrosez d'huile d'olive, salez, poivrez, mélangez et servez aussitôt. (Vous pouvez décorer avec des feuilles de basilic entières et du parmesan râpé).

Pappardelles aux Tomates Farcies

Pour 6 personnes

350 g de pappardelles (*voir recette
   page 10*)
6 tomates bien mûres, coupées en deux
60 g de parmesan, fraîchement râpé
60 g de mie de pain bien sèche, finement
   émiettée
2 cuillerées à soupe d'origan séché
8 cuillerées à soupe d'huile d'olive vierge
Sel, poivre fraîchement moulu

*Ce plat toscan peut se préparer 6 heures à l'avance et se
conserver au réfrigérateur ; dans ce cas, comptez 20 minutes de
cuisson au four.*

*P*réchauffez le four à 180 °C. Pressez délicatement chaque
moitié de tomate pour retirer les pépins. Dans un saladier,
mélangez 3 cuillerées à soupe d'huile, le parmesan, la mie de
pain et l'origan. Salez, poivrez et mélangez. Répartissez cette
préparation sur les moitiés de tomates en remplissant bien les
creux. Disposez les tomates, garniture vers le haut, sur une
plaque humidifiée et enfournez. Laissez cuire environ 40 minutes, en vaporisant de temps en temps un peu d'eau sur la
plaque pour éviter le dessèchement.

Pendant ce temps, préparez les pappardelles suivant la
recette de base des pâtes aux œufs. Faites bouillir 5 litres d'eau
salée dans un grand faitout.

Quand les tomates sont cuites et légèrement dorées, sortez-
les du four, mais n'éteignez pas celui-ci.

Plongez les pâtes dans l'eau bouillante et laissez-les cuire
environ 2 minutes ; elles doivent remonter à la surface. Égouttez-les et mettez-les dans un saladier ; arrosez-les de 3 cuillerées à soupe d'huile d'olive et mélangez.

Mettez les pâtes dans un plat à gratin de 30 x 20 centimètres,
graissé avec l'huile restante. Posez les tomates farcies dessus
et enfournez pendant 10 minutes. Servez très chaud.

Tagliatelles au Beurre et à la Sauge

Pour 6 personnes

500 g de tagliatelles fraîches (*voir recette page 10*)
20 feuilles de sauge fraîches
90 g de parmesan, fraîchement râpé
120 g de beurre
Sel

Cette sauce à la sauge et au beurre, originaire d'Italie du Nord, complète à merveille la saveur délicate des pâtes fraîches. Vous pouvez remplacer le beurre par de l'huile d'olive vierge, que vous réchaufferez doucement avec la sauge, jusqu'à ce que celle-ci commence à brunir.

*P*réparez les tagliatelles suivant la recette de base des pâtes fraîches aux œufs.

Faites bouillir 5 litres d'eau salée dans un grand faitout.

Pendant ce temps, faites fondre le beurre dans une petite poêle sur feu doux et mettez-y à revenir la sauge 5 minutes environ, en remuant de temps en temps, jusqu'à ce que le beurre commence à dorer et la sauge à brunir.

Jetez les tagliatelles dans l'eau bouillante et laissez-les cuire 2 minutes environ ; elles doivent remonter à la surface.

Égouttez les pâtes et disposez-les sur un plat de service préalablement chauffé. Nappez de sauce à la sauge, saupoudrez avec la moitié du parmesan, salez, poivrez et mélangez délicatement. Parsemez du parmesan restant et servez aussitôt.

Tagliatelles au Saumon Fumé et au Fenouil

Pour 6 personnes

500 g de tagliatelles (*voir recette page 10*)
180 g de saumon fumé, coupé en lanières
1 bulbe de fenouil, nettoyé et finement
   émincé
Le jus de 1/2 citron
6 cuillerées à soupe d'huile d'olive vierge
Sel, poivre fraîchement moulu

Ce plat léger et raffiné peut se servir froid, à condition d'imprégner les pâtes d'huile d'olive dès qu'elles sont égouttées. Vous pouvez également les conserver au réfrigérateur pendant 6 heures. Dans ce cas, vous les sortirez à l'avance et les laisserez se réchauffer à température ambiante avant de les mélanger aux autres ingrédients.

Préparez les tagliatelles suivant la recette de base des pâtes fraîches aux œufs.

Faites bouillir 5 litres d'eau salée dans un grand faitout.

Pendant ce temps, mettez le fenouil dans un saladier, arrosez de jus de citron, et salez, poivrez et remuez.

Jetez les tagliatelles dans l'eau bouillante et laissez-les cuire environ 2 minutes, jusqu'à ce qu'elles remontent à la surface. Égouttez-les et disposez-les dans un plat de service préalablement chauffé. Ajoutez le saumon et le fenouil, et arrosez d'huile d'olive. Mélangez, rectifiez l'assaisonnement et servez aussitôt.

Gratin de Pappardelles au Jambon et au Fromage

Pour 6 personnes

500 g de pappardelles (*voir recette page 10*)

250 g de jambon, coupé en lanières

30 g de farine

3 dl de lait

90 g de parmesan, fraîchement râpé

120 g de beurre, plus 1 cuillerée à soupe pour graisser le plat

1 pincée de noix muscade, fraîchement râpée

Sel, poivre fraîchement moulu

Si vous souhaitez préparer à l'avance ce plat bolonais, remplacez les pappardelles par des pâtes sèches, telles que rigatonis ou pennes, pour éviter la surcuisson des pâtes fraîches réchauffées.

*P*réparez les pappardelles suivant la recette de base des pâtes fraîches aux œufs.

Mettez 5 litres d'eau salée à bouillir dans un grand faitout et chauffez le gril du four.

Faites fondre 30 grammes de beurre dans une casserole à fond épais, sur feu moyen. Versez-y la farine et tournez avec une cuillère en bois jusqu'à ce que le beurre soit absorbé. Sans cesser de remuer, ajoutez progressivement le lait. Continuez à tourner pendant 5 minutes environ, jusqu'à ce que le mélange épaississe et devienne lisse et onctueux. Incorporez alors le jambon, la moitié du parmesan, 90 grammes de beurre, la noix muscade, du sel et du poivre.

Jetez les pappardelles dans l'eau bouillante et laissez-les cuire 2 minutes environ ; elles doivent remonter à la surface.

Beurrez un plat à gratin de 30 x 20 centimètres. Égouttez les pâtes et mettez-les dans le plat. Ajoutez la sauce et mélangez. Saupoudrez le reste du parmesan sur le dessus. Placez le plat 3 minutes sous le gril pour que la surface dore légèrement et servez aussitôt.

Tagliatelles à la Sauce Aigre-Douce

‿ ‿

Pour 6 personnes

500 g de tagliatelles (*voir recette page 10*)
300 g d'aubergines, coupées en dés
300 g de tomates olivettes bien mûres,
  coupées en dés (ou tomates pelées en
  conserve, égouttées et coupées en dés)
300 g d'oignons, grossièrement hachés
1 branche de céleri, nettoyée
30 g de pignons
2 cuillerées à soupe de câpres au vinaigre,
  bien égouttées
60 g d'olives noires, dénoyautées
  et hachées grossièrement
30 g de raisins secs
2 cuillerées à soupe de sucre en poudre
2 cuillerées à soupe de vinaigre de cidre
3 cuillerées à soupe d'huile d'olive vierge
Sel, poivre fraîchement moulu

*P*réparez les tagliatelles suivant la recette de base des pâtes fraîches aux œufs. Pendant ce temps, faites tremper les raisins secs 30 minutes dans de l'eau tiède ; égouttez-les.

Faites bouillir 6 litres d'eau salée dans un grand faitout. Ébouillantez le céleri 2 minutes et retirez-le avec une écumoire. Coupez-le en dés.

Dans une grande poêle, sur feu moyen, faites revenir les oignons dans l'huile jusqu'à ce qu'ils se colorent légèrement. Ajoutez les dés d'aubergine et de céleri, et laissez cuire 5 minutes en remuant. Incorporez les tomates, les raisins secs, les pignons, les câpres et les olives. Salez, poivrez, mélangez et laissez cuire 5 minutes. Retirez du feu.

Dans une petite casserole à fond épais, faites fondre le sucre sur feu modéré, en ne remuant que lorsque le sucre commence à se dissoudre sur le bord du récipient. Au bout de 3 minutes environ, quand le sucre est caramélisé, mouillez avec le vinaigre et mélangez. Versez cette sauce sur les légumes.

Remettez l'eau du faitout à bouillir. Placez la poêle contenant les légumes sur feu modéré.

Jetez les tagliatelles dans l'eau bouillante et laissez-les cuire 2 minutes environ ; elles doivent remonter à la surface.

Égouttez les pâtes et versez-les dans la poêle. Laissez cuire 1 minute à feu doux. Dressez sur un plat de service préalablement chauffé et servez aussitôt.

Fettuccines aux Crevettes et aux Brocolis

Pour 6 personnes

500 g de fettuccines (*voir recette page 10*)
18 grosses crevettes roses, décortiquées
300 g de petits bouquets de brocolis
12 cl de vin blanc sec
3 gousses d'ail, hachées
1 cuillerée à soupe de persil plat, haché
6 cuillerées à soupe d'huile d'olive vierge
Sel, poivre fraîchement moulu

La saveur et la couleur des brocolis relèvent ce plat de pâtes fraîches aux crevettes. En saison, vous pouvez remplacer les brocolis par des petits artichauts violets, coupés verticalement en tranches épaisses, après avoir retiré la queue, la pointe des feuilles et le foin.

Préparez les fettuccines suivant la recette de base des pâtes fraîches aux œufs.

Dans une grande poêle, sur feu doux, faites chauffer l'huile et mettez-y à revenir l'ail en remuant fréquemment, jusqu'à ce qu'il devienne translucide. Ajoutez les brocolis, couvrez et laissez cuire 5 minutes, en remuant de temps en temps.

Augmentez légèrement le feu et ajoutez les crevettes ; faites-les sauter 2 minutes. Mouillez avec le vin, salez, poivrez et laissez mijoter encore 2 minutes avant d'ôter la poêle du feu.

Faites bouillir 5 litres d'eau salée dans un grand faitout. Mettez-y à cuire les fettuccines 2 minutes environ ; elles doivent remonter à la surface.

Égouttez les pâtes et versez-les dans la poêle contenant les brocolis ; remettez sur feu modéré, ajoutez le persil et maintenez 2 minutes sur le feu en remuant délicatement.

Disposez sur un plat de service préalablement chauffé et servez aussitôt.

Taglierinis aux Coquilles Saint-Jacques

Pour 6 personnes

500 g de taglierinis (*voir recette page 10*)
12 noix de coquilles Saint-Jacques
1 gousse d'ail, hachée
1 cuillerée à soupe de persil plat, haché
6 cuillerées à soupe d'huile d'olive vierge
Sel , poivre fraîchement moulu

Les coquilles Saint-Jacques sautées à l'huile d'olive et à l'ail constituent une délicieuse garniture de pâtes. Employez de préférence des mollusques frais. A défaut, remplacez-les par des crevettes, des moules ou des palourdes.

*P*réparez les taglierinis suivant la recette de base des pâtes fraîches aux œufs.

Escalopez les noix de coquilles Saint-Jacques en tranches de 6 millimètres d'épaisseur.

Faites bouillir 5 litres d'eau salée dans un faitout.

Dans une grande poêle, sur feu doux, chauffez 3 cuillerées à soupe d'huile et mettez-y à revenir l'ail en remuant fréquemment, jusqu'à ce qu'il devienne translucide. Augmentez légèrement le feu, puis faites cuire les saint-jacques sur les deux faces 3 minutes environ. Salez et poivrez. Quand les saint-jacques sont presque tendres, jetez les taglierinis dans l'eau bouillante et laissez-les cuire environ 2 minutes ; elles doivent remonter à la surface. Égouttez les pâtes et mettez-les dans la poêle contenant les saint-jacques. Parsemez de persil et arrosez avec le reste d'huile d'olive. Servez aussitôt.

Tagliatelles au Thym et aux Courgettes

Pour 6 personnes

500 g de tagliatelles (*voir recette page 10*)
6 petites courgettes, coupées en dés
   de 1 cm
1 cuillerée à soupe de feuilles de thym frais
120 g de beurre
90 g de parmesan, fraîchement râpé
Sel, poivre fraîchement moulu

Dans cette recette toscane, vous pouvez remplacer les courgettes par de nombreux autres légumes : dés d'aubergine, tranches de fenouil ou d'artichauts violets, bouquets de brocolis... Le goût prononcé de ces derniers rend inutile l'ajout de thym.

*P*réparez les tagliatelles suivant la recette de base des pâtes fraîches aux œufs.

Faites bouillir 5 litres d'eau salée dans un grand faitout.

Dans une poêle, sur feu moyen, faites fondre la moitié du beurre et mettez-y à revenir les courgettes, en remuant de temps en temps, pendant 5 minutes environ, jusqu'à ce qu'elles dorent légèrement. Parsemez de thym. Salez et poivrez.

Jetez les tagliatelles dans l'eau bouillante et faites-les cuire 2 minutes environ ; elles doivent remonter à la surface.

Égouttez les pâtes et disposez-les dans un plat de service préalablement chauffé. Ajoutez les courgettes, puis le reste de beurre et le parmesan. Mélangez et servez aussitôt.

Pappardelles au Saumon Frais Mariné

Pour 6 personnes

500 g de pappardelles (*voir recette
page 10*)
180 g de filet de saumon, émincé
en copeaux extrêmement fins
1 cuillerée à soupe de graines de coriandre
1 cuillerée à soupe de persil plat, haché
Le jus de 3 citrons
Le zeste de 1 citron, râpé
6 cuillerées à soupe d'huile d'olive vierge
Sel, poivre fraîchement moulu

*Le saumon mariné est « cuit » par le jus de citron. Le thon frais,
l'espadon ou de petites crevettes décortiquées se prêtent également
très bien à ce type de préparation.*

Disposez les copeaux de saumon dans un plat, arrosez-les de
jus de citron et laissez-les mariner 1 heure à température
ambiante, en les retournant régulièrement.

Pendant ce temps, préparez les pappardelles suivant la
recette de base des pâtes fraîches aux œufs.

Égouttez le saumon et mettez-le dans un plat creux suffisamment large pour reposer sur les bords du faitout dans lequel
vous allez cuire les pâtes. Parsemez-le de graines de coriandre et
de persil, et arrosez-le avec l'huile d'olive. Salez, poivrez et
laissez reposer 10 minutes en retournant de temps en temps.

Faites bouillir 5 litres d'eau salée dans un grand faitout. Pendant que l'eau chauffe, posez dessus le plat de saumon, sur
lequel vous placez le couvercle : ainsi, le poisson se réchauffe
sans cuire. Quand l'eau bout, retirez le plat, jetez les pappardelles et laissez-les cuire 2 minutes environ ; elles doivent
remonter à la surface. Égouttez-les, disposez-les sur un plat de
service préalablement chauffé, ajoutez le saumon et mélangez
délicatement. Parsemez de zeste de citron et servez aussitôt.

Raviolis à la Parmesane

Pour 6 personnes

350 g de pâte fraîche (*voir recette page 10*)

300 g de chair de poulet, coupée en dés
  de 2,5 cm

1 branche de céleri, nettoyée et finement
  hachée

1 carotte, épluchée et finement hachée

1 petit oignon, finement haché

2 jaunes d'œufs

90 g de parmesan, fraîchement râpé

6 cl de vin de Marsala

1 cuillerée à soupe de farine

120 g de beurre

Sel, poivre fraîchement moulu

*D*ans une poêle, sur feu doux, faites fondre 30 grammes de beurre et mettez-y à revenir le céleri, la carotte et l'oignon pendant 3 minutes, en remuant souvent.

Augmentez légèrement le feu et faites revenir le poulet pendant 10 minutes environ, jusqu'à ce qu'il se colore. Mouillez avec le vin, baissez le feu, couvrez et laissez mijoter 5 minutes.

Retirez la poêle du feu et versez-en le contenu dans un mixeur. Hachez le tout très finement, puis mettez les ingrédients dans un saladier ; ajoutez les jaunes d'œufs et la moitié du parmesan. Salez, poivrez et mélangez.

Préparez la pâte et abaissez-la en une feuille très fine, puis découpez-la en rubans de 6 x 30 centimètres. Sur la moitié des bandes, disposez, à intervalles de 6 centimètres, de petits tas de farce au poulet. A l'aide d'un pinceau, humectez d'eau les bords et les intervalles entre les tas, et recouvrez avec les bandes restantes. Pour fermer, pressez avec les doigts tout autour des petits tas. Avec une roulette à pâtisserie cannelée, découpez de petits carrés de 5 centimètres de côté ; alignez-les sur le plan de travail légèrement fariné.

Mettez 5 litres d'eau salée à bouillir dans un grand faitout. Faites fondre le reste de beurre à feu doux. Jetez les raviolis dans l'eau bouillante et laissez-les cuire 2 minutes environ ; ils doivent remonter à la surface. Égouttez-les et disposez-les sur un plat de service préalablement chauffé. Saupoudrez de parmesan, arrosez de beurre fondu et servez bien chaud.

Demi-Lunes au Fromage et aux Aubergines

Pour 6 personnes

350 g de pâte fraîche (*voir recette page 10*)
400 g d'aubergines, nettoyées et coupées
   en brunoise
120 g de ricotta
3 cuillerées à soupe d'emmenthal,
   fraîchement râpé
2 jaunes d'œufs
1 cuillerée à soupe de farine
1 cuillerée à soupe de feuilles fraîches
   de marjolaine, menthe, thym ou origan
1 gousse d'ail, hachée
8 cuillerées à soupe d'huile d'olive vierge
Sel, poivre fraîchement moulu

Ces appétissantes demi-lunes peuvent également être farcies avec des brocolis ou des cœurs d'artichauts hachés.

*D*ans une poêle, sur feu doux, chauffez 3 cuillerées à soupe d'huile d'olive, et mettez-y à revenir l'ail, en remuant souvent, pendant 2 minutes environ, jusqu'à ce qu'il devienne translucide. Ajoutez les aubergines et saupoudrez de marjolaine (ou d'une autre herbe aromatique). Couvrez et laissez cuire à feu doux 10 minutes environ, en remuant de temps en temps. Quand les aubergines sont tendres, retirez la poêle du feu, laissez-les refroidir et hachez-les finement.

Dans un saladier, mélangez le hachis d'aubergine avec l'emmenthal, les jaunes d'œufs, la ricotta, du sel et du poivre.

Préparez la pâte suivant la recette de base donnée page 10. Abaissez cette pâte en une feuille très fine, puis découpez-y des disques de 5 centimètres de diamètre à l'aide d'un emporte-pièce. Déposez un petit tas de farce au milieu de chacun d'eux. Humidifiez le pourtour et repliez les disques en deux. Pincez les bords pour bien les refermer et disposez-les, à l'aide d'une spatule, sur le plan de travail fariné.

Faites bouillir 6 litres d'eau salée dans un grand faitout, puis jetez-y les demi-lunes. Laissez cuire 2 minutes.

Égouttez les pâtes et disposez-les sur un plat de service préalablement chauffé.

Arrosez avec le reste d'huile d'olive et servez aussitôt.

Cannellonis aux Épinards et à la Ricotta

Pour 6 personnes

350 g de pâte fraîche (*voir recette page 10*)
900 g d'épinards, blanchis et égouttés
300 g de ricotta
2 jaunes d'œufs
90 g de parmesan, fraîchement râpé
1 pincée de noix muscade, fraîchement
    râpée
1 cuillerée à soupe de beurre
25 cl de crème fraîche épaisse
Sel, poivre fraîchement moulu

*P*réparez la pâte suivant la recette de base donnée page 10. Abaissez cette pâte et découpez-la en carrés de 7 à 8 centimètres de côté.

Faites bouillir 5 litres d'eau salée dans un grand faitout.

Pendant ce temps, pressez les épinards pour en extraire l'excès de jus et hachez-les finement.

Dans un saladier, mélangez les épinards, la ricotta, les jaunes d'œufs, 30 grammes de parmesan, la noix muscade, du sel et du poivre. Écrasez bien à la fourchette.

Remplissez un grand saladier d'eau froide et gardez-le à proximité. Plongez un à un les carrés de pâte dans l'eau bouillante. Dès qu'ils remontent à la surface, au bout de 2 minutes environ, sortez-les avec une écumoire ou des pincettes et immergez-les dans l'eau froide. Égouttez-les et posez-les sur un linge.

Préchauffez le four à 180 °C. Beurrez un plat à gratin de 30 x 20 centimètres. Étalez un peu de mélange aux épinards sur un côté des carrés de pâte, puis roulez ces derniers en forme de cylindre, en partant du côté où se trouve la farce. Disposez les cannellonis côte à côte, sur une seule couche, dans un plat à gratin. Saupoudrez avec le reste de parmesan et recouvrez de crème fraîche.

Mettez au four pendant 20 minutes environ, jusqu'à ce que le dessus soit légèrement doré. Servez bien chaud.

Lasagnes à la Tomate et aux Brocolis

Pour 6 personnes

350 g de lasagnes (*voir recette page 10*)
900 g de brocolis
600 g de tomates olivettes bien mûres,
   pelées et hachées (ou tomates pelées
   en boîte, égouttées et hachées)
3 filets d'anchois à l'huile d'olive, égouttés
60 g de raisins secs
60 g de pignons
3 gousses d'ail, hachées
1 pincée de piment séché en poudre
7 cuillerées à soupe d'huile d'olive vierge,
   plus 1 cuillerée pour graisser le plat
Sel, poivre fraîchement moulu

Mettez à tremper les raisins secs 30 minutes dans de l'eau tiède ; égouttez-les et réservez-les.

Faites bouillir 5 litres d'eau salée dans un grand faitout.

Découpez les brocolis en bouquets, épluchez les tiges et détaillez-les en rondelles de 1 centimètre d'épaisseur. Plongez bouquets et tiges dans l'eau bouillante pendant 2 minutes. Retirez-les avec une écumoire et conservez l'eau de cuisson.

Dans une poêle, sur feu doux, chauffez l'huile et mettez-y à revenir les filets d'anchois et l'ail 2 minutes. Ajoutez les brocolis et faites cuire 2 minutes. Incorporez les tomates, le piment, du sel et du poivre. Laissez mijoter 30 minutes, jusqu'à ce que le jus soit évaporé. Pendant ce temps, préparez les lasagnes.

Remettez l'eau à bouillir dans le faitout. Remplissez un saladier d'eau froide et gardez-le à proximité. Plongez les lasagnes une à une dans l'eau bouillante. Au bout de 2 minutes environ, dès qu'elles remontent à la surface, sortez-les avec une écumoire ou des pincettes et immergez-les dans l'eau froide. Égouttez-les et déposez-les sur un linge.

Préchauffez le four à 180 °C. Badigeonnez d'huile un plat à gratin de 30 x 20 centimètres. Disposez une couche de lasagnes dans le fond, garnissez de sauce, parsemez de raisins secs et de pignons, et recouvrez d'une couche de lasagnes. Recommencez l'opération, en terminant par la garniture.

Mettez au four pendant 20 minutes environ, jusqu'à ce que le dessus soit bien doré. Servez aussitôt.

Bouillon aux Tortellinis

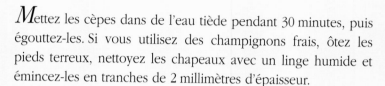

Pour 6 personnes

1,5 l de bouillon de viande léger
180 g de pâte fraîche (*voir recette page 10*)
180 g de jambon
2 foies de poulet
10 g de cèpes séchés (ou 180 g
   de champignons de Paris frais)
2 jaunes d'œufs
2 feuilles de laurier
6 cl de vin de Marsala
1 cuillerée à soupe de farine
1 cuillerée à soupe de beurre
30 g de parmesan, fraîchement râpé
Sel, poivre fraîchement moulu

Mettez les cèpes dans de l'eau tiède pendant 30 minutes, puis égouttez-les. Si vous utilisez des champignons frais, ôtez les pieds terreux, nettoyez les chapeaux avec un linge humide et émincez-les en tranches de 2 millimètres d'épaisseur.

Dans une poêle, sur feu moyen, faites fondre le beurre et mettez-y à revenir 5 minutes les foies de poulet avec les feuilles de laurier, en tournant de temps en temps. Ajoutez les cèpes (si vous utilisez des champignons frais, faites-les revenir en même temps que les foies) et le marsala, mélangez bien et laissez cuire à feu doux jusqu'à ce que le vin se soit évaporé. Salez et poivrez. Retirez du feu, ôtez les feuilles de laurier et versez le contenu de la poêle dans le bol d'un mixeur. Ajoutez le jambon et hachez finement le tout. Incorporez les jaunes d'œufs et le parmesan, puis mixez à nouveau.

Préparez la pâte et abaissez-la en une feuille très mince, puis découpez-y des disques de 5 centimètres de diamètre à l'aide d'un emporte-pièce. Déposez un petit tas de farce au milieu de chacun d'eux. Humidifiez le pourtour et repliez les disques en deux. Pressez les bords pour bien fermer.

Retroussez le bord aplati vers le haut et humectez au pinceau les extrémités du croissant. Puis, en maintenant la partie centrale du croissant contre l'ongle de l'index, repliez délicatement les pointes en les enroulant autour du doigt et soudez-les. Déposez les tortellinis sur le plan de travail légèrement fariné.

Faites bouillir le bouillon de viande, plongez-y les pâtes 2 minutes et servez dès qu'elles remontent à la surface.

Raviolis aux Fines Herbes

Pour 6 personnes

350 g de pâte fraîche (*voir recette page 10*)

3 pommes de terre, épluchées et coupées
  en rondelles de 3 mm d'épaisseur

180 g de ricotta

1 cuillerée à soupe de romarin frais, haché

1 cuillerée à soupe d'origan frais, haché

1 cuillerée à soupe de marjolaine fraîche,
  hachée

1 petit oignon, finement haché

2 jaunes d'œufs

1 cuillerée à soupe de farine

2 cuillerées à soupe de persil plat, haché

8 cuillerées à soupe d'huile d'olive vierge

Sel, poivre fraîchement moulu

*D*ans une poêle, chauffez 2 cuillerées à soupe d'huile et mettez-y à revenir l'oignon, en remuant de temps en temps, 3 minutes environ, jusqu'à ce qu'il devienne translucide. Ajoutez les pommes de terre, augmentez le feu et faites cuire 15 minutes en remuant souvent. Quand elles sont tendres, incorporez le romarin, l'origan et la marjolaine, et maintenez encore 1 minute. Retirez du feu et laissez refroidir.

Dans un saladier, mélangez la ricotta avec l'oignon et les pommes de terre aux herbes. Écrasez à la fourchette. Ajoutez les jaunes d'œufs, du sel et du poivre, et malaxez jusqu'à obtention d'une pâte homogène.

Préparez la pâte suivant la recette de base donnée page 10. Abaissez cette pâte en une feuille très mince, puis découpez-la en rubans de 7 x 30 centimètres. Sur la moitié des bandes, disposez régulièrement, à intervalles de 7 centimètres, de petits tas de farce aux herbes. A l'aide d'un pinceau, humectez d'eau froide les bords et les intervalles entre les tas, et recouvrez avec les bandes restantes. Pour fermer, pressez avec les doigts tout autour des petits tas. Avec une roulette à pâtisserie cannelée, découpez de petits carrés de 6 centimètres de côté ; alignez-les sur un plan de travail légèrement fariné.

Faites bouillir 5 litres d'eau salée dans un grand faitout et plongez-y les raviolis. Au bout de 2 minutes environ, quand ils remontent à la surface, égouttez-les et disposez-les sur un plat de service préalablement chauffé. Parsemez de persil, arrosez avec le reste d'huile et servez aussitôt.

Timbale de Spaghettis aux Aubergines

Pour 6 personnes

500 g de spaghettis

600 g de tomates olivettes bien mûres,
 pelées et hachées (ou tomates pelées
 en boîte, égouttées et hachées)

600 g d'aubergines, nettoyées et coupées
 en rondelles d'environ 6 mm de large

3 gousses d'ail, hachées

1 pincée de piment séché en poudre

1 cuillerée à soupe de beurre

90 g de chapelure fine

6 cuillerées à soupe d'huile d'olive vierge,
 plus 1,2 l pour la friture

Sel

Ce plat typiquement napolitain peut se conserver 6 heures au réfrigérateur avant d'être mis à gratiner au four.

*D*ans une poêle, sur feu doux, chauffez 6 cuillerées à soupe d'huile et mettez-y à revenir l'ail, en remuant souvent, 2 minutes environ, jusqu'à ce qu'il devienne translucide. Ajoutez les tomates, le piment et du sel. Mélangez et laissez cuire à feu doux 30 minutes : le jus doit s'évaporer.

Dans un grand poêlon, sur feu vif, chauffez l'huile de friture et faites frire les tranches d'aubergines petit à petit pendant 3 minutes. Quand elles sont dorées, égouttez-les et posez-les sur du papier absorbant. Salez-les.

Préchauffez le four à 180 °C. Beurrez un moule à charnière de 24 centimètres de diamètre, et garnissez le fond et les parois de chapelure. Tapissez entièrement avec les tranches d'aubergines en les faisant légèrement se chevaucher, en en conservant quelques-unes.

Mettez à bouillir 5 litres d'eau salée dans un grand faitout et jetez-y les spaghettis. Faites-les cuire *al dente* (4 minutes).

Égouttez les spaghettis et mettez-les dans un saladier. Nappez-les de sauce à la tomate et ajoutez les tranches d'aubergines réservées. Mélangez bien. Versez cette préparation dans le moule en tassant. Mettez au four pendant 20 minutes environ, jusqu'à ce que le dessus soit légèrement doré. Démoulez sur un plat de service préalablement chauffé et servez aussitôt.

Croustade de Linguines aux Crevettes

Pour 6 personnes

300 g de linguines

180 g de grosses crevettes roses,
    décortiquées

2 cuillerées à soupe d'emmenthal,
    fraîchement râpé

200 g de farine

1 jaune d'œuf

90 g de beurre, coupé en petits morceaux

1 cuillerée à soupe de curry en poudre

25 cl de crème fraîche épaisse

2 cuillerées à soupe d'eau

Sel, poivre fraîchement moulu

Préchauffez le four à 180 °C. Versez la farine en fontaine sur le plan de travail et mettez le beurre au milieu. Pétrissez jusqu'à obtention d'une pâte homogène. Dans un bol, fouettez le jaune d'œuf avec l'eau, puis ajoutez à la pâte. Malaxez bien, puis rassemblez en boule et enveloppez dans une feuille d'aluminium ; laissez reposer 2 heures au réfrigérateur.

Sur un plan de travail légèrement fariné, abaissez la pâte en un disque de 28 centimètres de diamètre. Foncez-en un moule à tarte de 24 centimètres de diamètre à fond amovible. Égalisez le bord et piquez le fond à la fourchette.

Faites cuire ce fond de tarte au four pendant 30 minutes. Si la pâte se soulève en cours de cuisson, abaissez-la avec la paume de la main. Sortez le moule et laissez refroidir. Maintenez le four à 180 °C.

Dans une casserole à fond épais, sur feu moyen, portez la crème à ébullition. Ajoutez les crevettes et laissez cuire 2 minutes. Salez, poivrez et incorporez le curry en poudre.

Faites bouillir 5 litres d'eau salée dans un grand faitout. Plongez-y les linguines. Quand elles sont cuites *al dente*, égouttez-les et mettez-les dans un grand saladier. Ajoutez les crevettes à la crème et le fromage, et mélangez bien. Garnissez le fond de tarte avec cette préparation et passez 5 minutes au four. Servez très chaud.

Turban de Rigatonis aux Saint-Jacques

Pour 6 personnes

500 g de rigatonis
300 g de noix de coquilles Saint-Jacques,
    coupées en deux
90 g de feuilles d'épinards
30 g de farine
25 cl de lait
3 cuillerées à soupe de beurre
2 gousses d'ail, hachées
2 cuillerées à soupe de persil plat, haché
120 g de chapelure
3 cuillerées à soupe d'huile d'olive vierge
Sel, poivre fraîchement moulu

Vous servirez ce gâteau de pâtes avec une simple salade verte, de préférence de cresson. Des moules peuvent éventuellement remplacer les coquilles Saint-Jacques.

Dans une poêle, sur feu doux, chauffez l'huile, et mettez-y à revenir le persil et l'ail pendant 2 minutes environ. Ajoutez les coquilles Saint-Jacques, puis les épinards. Salez, poivrez, mélangez, couvrez et laissez mijoter 5 minutes en remuant de temps en temps. Retirez du feu.

Dans une autre poêle, sur feu moyen, faites fondre 2 cuillerées à soupe de beurre. Ajoutez la farine sans cesser de remuer. Quand elle a absorbé le beurre, versez le lait progressivement en tournant toujours et laissez épaissir sur le feu, pendant 10 minutes environ. Salez, poivrez, et ajoutez les épinards et les coquilles Saint-Jacques.

Avec le reste de beurre, graissez un moule en couronne de 24 centimètres de diamètre, et tapissez le fond et les parois de chapelure. Faites bouillir 5 litres d'eau salée dans un grand faitout et plongez-y les rigatonis. Quand ils sont cuits *al dente*, égouttez-les et mettez-les dans un saladier ; ajoutez la sauce aux saint-jacques et mélangez. Versez la préparation dans le moule en tassant bien. Mettez au four pendant 20 minutes environ, jusqu'à ce que le dessus soit doré. Décollez le bord avec la lame d'un couteau, démoulez sur un plat de service préalablement chauffé et dégustez très chaud.

Turban de Taglierinis à la Tomate et à la Mozzarella

Pour 6 personnes

500 g de taglierinis (*voir recette page 10*)

1,8 kg de tomates olivettes bien mûres, pelées et hachées (ou tomates pelées en boîte, égouttées et hachées)

300 g de mozzarella, coupée en dés de 1 cm

1 petit oignon, finement haché

1 petite carotte, épluchée et finement hachée

1 branche de céleri de 10 cm de long environ, nettoyée et finement hachée

20 feuilles de basilic frais, grossièrement hachées

1 cuillerée à soupe de beurre

90 g de chapelure

6 cuillerées à soupe d'huile d'olive vierge

Sel, poivre fraîchement moulu

Cet original plat d'Italie du Sud doit être cuit au four dès qu'il est prêt pour ne rien perdre de la délicate saveur des pâtes fraîches.

Préparez les taglierinis suivant la recette de base des pâtes fraîches aux œufs.

Dans une poêle, sur feu doux, chauffez l'huile et mettez-y à revenir 3 minutes l'oignon, la carotte et le céleri, en remuant de temps en temps. Ajoutez les tomates et le basilic, salez, poivrez et mélangez. Posez le couvercle en le laissant légèrement entrouvert et laissez mijoter 50 minutes, jusqu'à ce que le jus s'évapore.

Préchauffez le four à 180 °C. Faites bouillir 5 litres d'eau salée dans un grand faitout. Beurrez un moule en couronne de 24 centimètres de diamètre, puis tapissez le fond et les parois de chapelure.

Jetez les taglierinis dans l'eau bouillante et faites-les cuire 1 minute. Égouttez-les et mettez-les dans un grand saladier. Portez la sauce à ébullition et versez-en la moitié sur les taglierinis. Ajoutez la mozzarella et mélangez. Versez la préparation dans le moule et tassez un peu. Enfournez pendant 10 minutes, jusqu'à ce que des bulles apparaissent sur le dessus. Décollez le bord avec la lame d'un couteau et démoulez sur un plat de service préalablement chauffé. Garnissez le milieu du turban avec le reste de sauce et servez aussitôt.

Glossaire

Les termes de ce glossaire se rapportent aux pâtes et à leur préparation ; vous y trouverez les ingrédients spécifiques et des méthodes de base.

AL DENTE
Expression italienne qui signifie littéralement « à la dent » ; elle sert à définir le degré parfait de cuisson des pâtes, à la fois tendres et fermes sous la dent. Le temps de cuisson correspondant dépend de la variété de pâtes utilisée.

ANCHOIS
Petits poissons de mer, généralement conservés dans le sel – ce sont les meilleurs – ou dans l'huile. Les plus courants sont les anchois d'importation, marinés dans de l'huile d'olive.

AUBERGINES
Celles originaires d'Asie sont minces et allongées ; leur pulpe est en général plus fine et présente moins de pépins que la variété ordinaire, plus ronde.

BASILIC
Cette herbe aromatique, à la douce saveur, occupe une place importante dans les cuisines française et italienne. Elle parfume délicieusement les salades de tomate et constitue le principal ingrédient du pistou.

BRUNOISE
Légumes coupés en très petits dés.

CANNELLONIS
Pâtes farcies en forme de tubes de 7,5 cm de long et de 2,5 cm de diamètre environ.

CÂPRES
Petits boutons floraux du câprier, arbuste commun en Méditerranée, que l'on confit dans le vinaigre pour servir d'assaisonnement ou de condiment.

CAPPELLETTIS
Voir **Tortellinis**.

CÉLERI
Plante alimentaire cultivée pour les côtes de ses pétioles ou pour ses racines à la saveur délicate, appelées aussi céleris-raves. Choisissez de préférence de petites racines jeunes, que vous pouvez consommer crues ou cuites après les avoir épluchées.

CÈPES
Champignons à chair riche et savoureuse. On les trouve sous forme déshydratée dans les rayons d'épicerie fine. Il faut les mettre à gonfler dans l'eau avant de les incorporer dans les sauces, ragoûts et farces.

CHÈVRE
Terme générique pour désigner de nombreux fromages fabriqués avec du lait de chèvre. Ceux-ci sont vendus sous forme de crottins d'environ 5 centimètres de diamètre, de pyramides ou de bûchettes de 10 à 15 centimètres de long. Certains chèvres sont enrobés de fines herbes, de poivre ou de cendre, qui leur confèrent un parfum particulier.

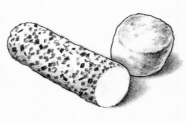

CHOU VERT
Variété de chou aux feuilles vert foncé, traversées d'un réseau de veinures et ourlées vers le haut.

CIBOULETTE
Herbe aromatique douce, dont la saveur rappelle celle de l'oignon. Bien qu'on la trouve séchée, il est préférable de l'employer fraîche.

CŒURS D'ARTICHAUTS
Il est très facile de préparer les cœurs d'artichauts. Coupez d'abord la queue, puis, en commençant par le bas, ôtez toutes les feuilles jusqu'à ce qu'il ne reste que le cône central. Retirez ce dernier, puis creusez le cœur et arrachez le foin. Avec un couteau, supprimez les bases de feuilles dures restantes. Pendant toute la durée de l'opération, trempez régulièrement l'artichaut dans un mélange d'eau et de jus de citron pour l'empêcher de noircir.

COGNAC
Eau-de-vie de vin charentaise. On peut éventuellement le remplacer par de l'armagnac.

COQUILLES SAINT-JACQUES
Variété de grands mollusques. La coquille, caractéristique, renferme une noix d'un diamètre variable et un corail, à la saveur délicate.

COQUILLETTES
Pâtes sèches en forme de petit tube court et recourbé.

CORIANDRE
Cette plante doit son nom au grec *koris* (« punaise »), dont elle aurait, selon ses détracteurs, le goût. Ses graines sont fréquemment utilisées, entières ou pilées, dans les cuisines indienne et moyen-orientale. Ses feuilles, qui rappellent celles du persil, sont très parfumées et se consomment crues ou cuites.

CURRY EN POUDRE
Terme générique pour désigner un ensemble d'épices – cinq au moins – communément employées dans la cuisine indienne. La plupart des poudres de curry comportent de la coriandre, du cumin, du piment en poudre, du fenugrec et du curcuma. Certaines incluent également de la cardamome, de la cannelle, du clou de girofle, du quatre-épices, du fenouil et du gingembre.

DEMI-LUNES
Pâtes fraîches aux œufs farcies, en forme de croissant de lune, appelées *mezzelune* en italien.

FARFALLES
Voir **Papillons**.

FEDELINIS
Pâtes sèches en forme de spaghetti très fin.

FENOUIL
Plante alimentaire au bulbe croquant, à la saveur légèrement anisée, appelée *finocchio* en italien. Certaines variétés sont également cultivées pour leurs petites feuilles plumeuses, utilisées fraîches ou séchées (aneth), et leurs graines.

FETTUCCINES
Pâtes fraîches ou sèches, en forme de long ruban d'environ 6 millimètres de large, appelées aussi tagliatelles.

FONTINA
Fromage italien de lait de vache, crémeux, à la saveur douce, qui ressemble un peu au port-salut.

FUSILLIS
Pâtes sèches minces en forme de spirale.

GEMELLIS
Pâtes sèches, courtes, formées de deux tiges enroulées l'une sur l'autre.

GORGONZOLA
Fromage italien crémeux, veiné de moisissures, comme le bleu ou le roquefort, qui peuvent le remplacer.

HARICOTS BLANCS
Les Italiens mangent des *cannellini*, variété à peau fine et de forme ovale. Vous pouvez les remplacer par des lingots. Si vous les utilisez secs, faites-les tremper toute une nuit dans de l'eau froide et égouttez-les avant cuisson. Les haricots en boîte doivent être rincés et égouttés.

HUILE D'OLIVE
Pour la préparation des sauces, mieux vaut utiliser de l'huile d'olive vierge extra, issue de la première pression à froid des olives, sans l'aide d'aucun agent chimique. Il en existe plusieurs variétés, à la saveur plus ou moins prononcée. Vous choisirez, plutôt que des bouteilles, des bidons étanches qui préservent l'huile de la chaleur et de la lumière, et lui conservent ainsi toutes ses qualités gustatives.

JULIENNE
Légumes émincés en fines lamelles. Détaillez-les d'abord en tronçons, puis recoupez-les dans le sens de la longueur en fins bâtonnets.

LASAGNES
Larges bandes de pâte sèche ou fraîche, généralement superposées en couches alternées avec du fromage, des légumes ou de la viande hachée, et gratinées au four.

LINGUINES
Épais rubans de pâte étroits, qui ressemblent à des spaghettis aplatis.

MARJOLAINE
Herbe aromatique, à la saveur très parfumée, utilisée fraîche ou sèche pour assaisonner la viande (en particulier le mouton), la volaille, les poissons et fruits de mer ainsi que les légumes et les œufs.

MARSALA
Vin italien ambré, sec ou doux, originaire de la région de Marsala, en Sicile ; largement utilisé pour parfumer les farces, relever les sauces ou encore aromatiser les desserts.

MENTHE
Herbe aromatique très rafraîchissante, utilisée en cuisine pour son parfum caractéristique. Aromatise aussi bien les plats salés que sucrés. Également consommée en infusion.

MEZZELUNE
Voir **Demi-lunes**.

MOULE À CHARNIÈRE
Moule rond qui s'articule grâce à une charnière, et qu'on ouvre pour démouler sans risquer d'abîmer le gâteau. Très utile pour les timbales de pâtes.

MOZZARELLA
Fromage cru italien, à pâte pressée, d'un blanc immaculé, traditionnellement fait avec du lait de buflonne. On vend aujourd'hui de la mozzarella au lait de vache, mais elle a beaucoup moins de goût.

NOISETTES
Petites noix rondes à la saveur sucrée, excellentes dans les desserts et certains plat relevés. Les avelines sont les fruits oblongs d'une variété de noisetier.

ORIGAN
Herbe aromatique, très parfumée, originaire des régions méditerranéennes, utilisée fraîche ou séchée pour assaisonner toutes sortes de plats, notamment les tomates et divers légumes. Parfume très fréquemment les pizzas.

PAIN BIS DE CAMPAGNE

Pour accompagner d'authentiques plats italiens ou préparer de la chapelure, choisissez de préférence du pain de campagne fabriqué avec de la farine blanche non blutée, à croûte bien croustillante. Vous trouverez ce pain dans les boulangeries sous l'appellation pain de campagne, pain paysan ou pain complet.

PANCETTA

Lard maigre, sorte de bacon italien, vendu soit en tranches soit roulé dans les épiceries fines et les charcuteries.

PAPILLONS

Pâtes sèches en forme de nœud papillon. Appelées *farfalle* en italien.

PAPPARDELLES

Pâtes fraîches en forme de ruban d'environ 3 centimètres de large.

PARMESAN

Fromage italien, sec et dur, à croûte épaisse, dont la saveur assez forte est obtenue après au moins deux ans de vieillissement. Achetez-le de préférence en morceau, et râpez-le vous-même au fur et à mesure de vos besoins. Le plus célèbre est le *parmigiano reggiano*, de la région de Reggio, en Émilie.

HACHER LE PERSIL

Lavez le persil à l'eau courante et secouez-le bien pour l'essorer. Réunissez tous les brins en bouquet et, à l'aide d'un couteau de cuisine, coupez les tiges et ne conservez que les feuilles.

Rassemblez les feuilles, calez la lame du couteau avec votre main gauche et hachez le persil en la faisant basculer rapidement, tout en avançant et reculant le couteau, jusqu'à obtention de la finesse voulue.

PECORINO

Fromage italien au lait de brebis, vendu frais ou vieux. Il en existe plusieurs variétés, dont les deux plus célèbres sont le *pecorino romano* et le *pecorino sardo*, le second étant plus fort que le premier.

PENNES

Pâtes sèches en forme de tube court et coupées en biseau, comme des plumes de stylo.

PERSIL PLAT

Variété de persil au goût plus prononcé que la variété frisée.

PIGNONS

Petites graines de couleur ivoire extraites des pignes de certains pins. Leur saveur est légèrement résineuse. On les utilise en pâtisserie et en cuisine.

PIMENT SÉCHÉ EN POUDRE

Au Mexique, les Aztèques cultivaient le piment sous le nom de *chili*. C'est le fruit d'une plante de la famille des Solanacées, plus ou moins piquant. Il est vendu en bocaux ou en sachets dans les épiceries orientales ou asiatiques, et de plus en plus dans les supermarchés.

POIVRONS

Ils appartiennent à la même famille que les piments, mais leur saveur est nettement plus fraîche et plus douce. Ils sont en général vendus verts, mais on en trouve aussi des mûrs, jaunes, rouges, orange... Ils peuvent être consommés crus, dépouillés de leur queue, des pépins et des parties blanches filandreuses, ou cuits ; dans ce cas, il faut les faire griller avant de les peler et de retirer la queue et les pépins.

RADIATORIS

Pâtes sèches rectangulaires en forme de petit radiateur.

RAGOÛT

Ce terme désignait autrefois toute sauce épaisse et relevée ; aujourd'hui, il s'applique aux plats de légumes ou de viande mijotés en sauce.

RAVIOLIS

Variété de pâtes aux œufs, farcies, en forme de petit oreiller carré.

RICOTTA

Fromage frais italien, traditionnellement fait avec du lait de brebis et cuit deux fois. La ricotte, le broccio corse ou la brousse provençale sont les fromages qui s'en approchent le plus.

RIGATONIS

Pâtes sèches en forme de gros tube rainuré.

ROMAINE

Variété de laitue à feuilles allongées, très parfumée.

ROMARIN

Herbe aromatique méditerranéenne, utilisée fraîche ou séchée, très parfumée ; elle assaisonne aussi bien l'agneau et le veau que la volaille, les poissons, les fruits de mer et les légumes.

ROQUETTE

Plante d'origine méditerranéenne présentant des feuilles minces, multilobées, à saveur poivrée, légèrement amère. Souvent consommée en salade, intégrée dans le mesclun.

SAUGE

Herbe aromatique à saveur un peu piquante, utilisée fraîche ou séchée ; convient particulièrement au porc frais ou fumé, à l'agneau, au veau et au poulet.

SAUCISSE ITALIENNE

La saucisse fraîche italienne est traditionnellement faite avec du porc assaisonné de sel, de poivre et d'épices. En Italie du Nord, elle est douce et souvent parfumée à la graine de fenouil. Dans le Sud, elle est en général plus piquante, car elle comporte du piment séché.

SPAGHETTIS

Fines tiges de pâtes sèches industrielles.

SCAROLE

Variété de chicorée à feuilles vert clair, à saveur légèrement amère.

TAGLIATELLES

Pâtes fraîches en forme de long ruban de 6 à 10 mm de large, appelées aussi fettuccines.

TAGLIERINIS

Rubans de pâte fraîche ou sèche de 3 millimètres de large.

THYM

Herbe aromatique à petites feuilles très parfumées et rafraîchissantes. S'utilise fraîche ou séchée pour assaisonner la volaille, les viandes blanches, les poissons, les fruits de mer et les légumes.

TORTELLINIS

Variété de pâtes fraîches aux œufs farcies, en forme de petit anneau ou de petit chapeau. Également appelées cappellettis.

TRÉVISE

Petite salade dont les feuilles rougeâtres ont une saveur légèrement amère. Se consomme crue dans les salades, ou cuite, le plus souvent braisée.

ZESTE

Fine écorce très colorée des agrumes, contenant une grande part de leurs huiles essentielles aromatiques ; elle sert à parfumer les sauces, les marinades, etc. Le zeste s'enlève à l'aide d'un zesteur, qui permet d'ôter l'écorce en fines lanières, d'une râpe ou d'un couteau économe.

TOMATES

Excepté en juillet, août et septembre, où l'on trouve sur le marché d'excellentes tomates bien mûres, il est préférable d'utiliser des tomates pelées en boîte. Préférez les olivettes ou les Roma, qui présentent la meilleure consistance pour les sauces.

Pour peler les tomates fraîches, procédez comme suit :

Faites bouillir une casserole d'eau. Avec un petit couteau effilé, retirez la base de la queue et incisez en croix l'arrière de la tomate.

Piquez-la avec une fourchette et plongez-la 20 secondes dans l'eau bouillante. Puis retirez-la pour la plonger dans un saladier d'eau froide.

Pelez-la à partir de l'entaille en croix, en vous servant de vos doigts ou de la lame d'un couteau.

Coupez-la en deux, posez chaque moitié sur le plan de travail et coupez-les selon les indications de la recette.

S i la recette exige d'épépiner les tomates, coupez-les en deux. Prenez une moitié dans le creux de la main et pressez légèrement pour expulser les graines vers le bord. Retirez-les du bout des doigts.

Index

Bouillon aux tortellinis 76

Cannellonis aux épinards
  et à la ricotta 88
Cappelletis *voir* Tortellinis
Conservation des pâtes 13
Conchiglies
  Salade de – au thon 24
Croustade de linguines aux
  crevettes 98
Cuisson des pâtes 13

Demi-lunes au fromage
  et aux aubergines 86

Farfalles aux noix et au zeste
  de citron 50
Fedelinis à la mie de pain
  et à l'ail 56
Fettuccines
  à l'ail et au piment 16
  au curry et aux petits pois 62
  aux petits pois et au
    jambon 44
  aux crevettes et aux
    brocolis 77
Fusillis
  à la saucisse et au chou 40

aux grains de maïs 28
aux oignons et au
  bacon 36
aux poivrons et à la
  mozzarella 22

Gemellis aux quatre
  fromages 42
Gratin
  de pappardelles au jambon
    et au fromage 72
  de rigatonis au jambon
    et aux champignons 55

Lasagnes à la tomate
  et aux brocolis 91
Linguines
  à la sole, au lard
    et à la tomate 52
  au basilic 31
  aux pommes de terre
    et au romarin 27
  Croustade de –
    aux crevettes 98

Pappardelles
  aux foies de volaille
    et à la sauge 61
  au basilic 64
  au saumon frais mariné 82
  aux tomates farcies 67

Gratin de – au jambon
  et au fromage 72
Pâtes farcies 12, 84-95
Pâtes fraîches aux œufs 10-11,
  60-83
  à la main 10-11
  à la machine 10-11
Pâtes sèches 8-9, 14-59
Pennes
  aux asperges 35
  aux carottes et au fromage
    de chèvre 58

Radiatoris à l'avocat 15
Raviolis 12
  à la parmesane 85
  aux fines herbes 94
Rigatonis
  à la tomate et aux haricots
    blancs 18
  Gratin de – au jambon
    et aux champignons 55
  Turban de – aux Saint-
    Jacques 100

Salade
  de conchiglies au thon 24
  de spaghettis à la tomate 47
Spaghettis
  à la carbonara 49

aux crevettes 32
aux pignons et aux raisins
  secs 39
Salade de – à la tomate 47
sauce estivale 21
Timbale de – aux
  aubergines 27

Tagliatelles
  à la sauce aigre-douce 74
  au beurre et à la sauge 69
  au saumon fumé et au
    fenouil 70
  au thym et aux courgettes 81
Taglierinis
  aux coquilles Saint-
    Jacques 78
  Turban de – à la tomate
    et à la mozzarella 102
Timbale de spaghettis
  aux aubergines 97
Timbales de pâtes 96-103
Tortellinis aux fines herbes 94
Turban
  de rigatonis aux Saint-Jacques
    100
  de taglierinis à la tomate et à
    la mozzarella 102

Ustensiles 6-7